Des nouvelles du Maroc

Photographie de couverture : D.R.

12, rue du Renard, 75004 Paris
ISBN : 2-84272-065-2

Pour le Maroc :

71, av. des Forces Armées Royales, Casablanca
ISBN : 9981-09-042-5

Des nouvelles du Maroc

Textes présentés
par Loïc Barrière

Éditions EDDIF

INTRODUCTION

Pour Marie-Louise Belarbi

Dans un village de la région d'Oujda, un enfant qui a le goût des livres, entend parler d'un roman scandaleux, écrit en arabe par un inconnu qui vit à Tanger. L'enfant griffonne le titre sur un morceau de papier et le tend à sa mère. La femme donne le morceau de papier à son mari et lui demande d'aller acheter le livre en ville pour leur fils. L'homme va de librairies en librairies, en réclamant ce mystérieux Khobz Al-hafi que personne ne semble connaître, ou plutôt dont tout le monde feint d'ignorer l'existence. Le père finit par croiser un homme qui lui dit : «Malheur à toi, ne sais-tu pas qu'il ne faut pas lire ce livre ? Tu ne le trouveras nulle part ! Ne le demande pas aux libraires ou bien il t'arrivera des histoires !» De retour au village, le père frappe l'enfant, en criant : «Ce livre, tu ne savais donc pas qu'il était interdit ? Tu voulais me faire envoyer en prison ?» L'enfant encaisse les coups, il en a l'habitude, mais il finira, quand même, par se procurer le livre de cet écrivain inconnu, Mohamed Choukri. Fasciné par la liberté de ton, par les scènes sexuelles, mais aussi par le destin de cet auteur, analphabète jusqu'à l'âge de vingt ans, *Le Pain nu* sera sa première, sa plus forte émotion littéraire. Bien plus tard, adolescent, il prendra un autocar de la CTM jusqu'à Tanger, y passera trois jours et trois nuits, allant de bar en bar, à la recherche de son mythique Choukri. Déçu, il retournera chez lui sans avoir rencontré l'homme qu'il admire tant.

Cette histoire vraie, qui a pour héros le jeune écrivain Karim Nasseri, aurait pu être vécue et racontée par d'autres que lui : de nombreux auteurs marocains de la nouvelle génération, comme lui, dans le secret de leur chambre, se sont nourris des romans-cultes de Choukri. Abdellah Taïa par exemple se souvient qu'enfant le premier livre dans sa famille fut le fameux *Pain nu*, en arabe, roman dont quelqu'un avait arraché la couverture. Lui, sans le chercher, a rencontré trois fois Choukri, d'abord à Rabat, au «Goethe Institut» puis boulevard Mohamed V et enfin sur une photo accrochée au mur d'un bar de Tanger, cliché où l'écrivain a le crâne rasé. Abdellah Taïa lui rend hommage à travers le personnage de Sellafa. Il était donc logique que ce recueil s'ouvrît sur un texte de Choukri, inédit jusqu'ici en français. Choukri n'est d'ailleurs pas le seul à susciter l'admiration et le respect des auteurs qui participent à ce recueil de nouvelles. Les autres citent le nom de l'écrivain Mohammed Khaïr-Eddine, décédé en 1995, qui publia notamment *Une vie, un rêve, un peuple, toujours errants* au Seuil.

L'imaginaire de cette jeune génération, qui a aujourd'hui entre 25 et 35 ans, s'est formé aussi grâce aux grands classiques de la littérature marocaine : Driss Chraibi et Tahar Ben Jelloun, bien sûr. Zeïna Tabi, née en 1974, qui publie ici son premier texte, reconnaît volontiers avoir été marquée par la figure du patriarche, dans *Le Passé simple*. Mais la Grande Librairie du Maroc est vaste : Fatima Mernissi, Abdelatif Laâbi, Abdelhak Serhane, Mohamed Zafzaf, Mohamed Barada, Zaghloul Morsy, Mohammed Bennis, Abdelfattah Kilito, Abdallah Zrika, Edmond Amran El Maleh, Ahmed Sefrioui, Fouad Laroui, Rachid O... pour n'en citer que quelques-uns. Certains d'entre eux ont écrit une nouvelle pour ce recueil.

La naissance de ce livre collectif prend sa source dans un constat : la littérature marocaine, d'une grande richesse, reste méconnue en France. Dans ce recueil, seize écrivains, hommes, femmes, francophones, arabophones, vivant ici ou là-bas, disent leur Maroc, loin des images folkloriques.

Khalil Gibran avait naguère interpellé ses compatriotes en leur disant qu'ils avaient leur Liban et qu'il avait le sien; les écrivains marocains que vous allez lire ont eux aussi cherché à dire un pays tels qu'ils le voient, tels qu'ils le vivent et l'imaginent, avec leur cœur, en puisant dans leur sensibilité et leur mémoire.

Pays de conteurs, le Maroc n'a jamais cessé de se raconter, à lui-même et aux autres. Aimer le Maroc, c'est aimer ses histoires, celles qu'inventent les mères pour leurs enfants, celles que s'échangent les amis. La nouvelle, plus encore que le roman, est le moyen favori des auteurs marocains, pour rendre compte de la réalité. La langue arabe reste la langue littéraire par excellence des Marocains, en terme de livres publiés et de ventes en librairie, même si, comme l'a dit Mohammed Bennis, «lorsqu'on écrit en arabe ici, on se heurte à un vrai problème de reconnaissance». (Les livres de ce poète, qui a traduit Bernard Noël, sont désormais disponibles en français grâce à son auteur favori.)

Trois textes de ce recueil ont été traduits de l'arabe : «Étrange Cadavre» de Mohamed Choukri, nouvelle tirée du recueil inédit intitulé *Al-Khaïma* (1973), la nouvelle du journaliste Maati Kabbal, «Kafka à Khenifra», parue d'abord dans le quotidien *Al Hayat,* et «Personnes» de Mohamed El Atrouss, un jeune auteur arabophone qui a publié un premier recueil, *Hada al Qadim,* chez Al Matba'a al Markazia à Oujda, en 1994.

Grâce à des libraires dévoués, à des éditeurs dynamiques et à des journaux qui accueillent dans leurs pages des textes inédits, le Maroc entend ces voix. Souhaitons que la France elle aussi découvre une littérature vivante, qui ne se limite pas aux romans francophones.

La langue arabe ? Que nous dit-elle du Maroc ? Feuilletons le *Dictionnaire Arabe-Français As-Sabil* (Daniel Reig, Larousse, 1983) et explorons les sens tirés de la racine *gha-ra-ba*, racine qui a donné, entre autres, le mot *maghrib* (Maroc, en langue arabe).

gharaba : s'en aller, s'éloigner, émigrer, partir (...)
gharb : couchant, ouest, occident, fougue, impétuosité, jeunesse
gharbi : occidental (...)
ghourba : distance, éloignement, dépaysement, émigration, exil, séparation
ghourâba : bizarrerie, excentricité, étrangeté, caractère insolite, extravagance, singularité
gharîb : abracadabrant, bizarre, drôle, étrange, étonnant, exotique (...)
gharraba : émigrer, aller au bout du monde (...)
taghrîb : bannissement, dépaysement, éloignement, expatriation, exil, relégation, occidentalisation
mougharrab : banni, exilé, interdit de séjour
maghrib : occident, lieu où le soleil se couche, Maghreb
al-maghrib al-Aqsa : extrême-occident, Maroc

Chacun de ces sens, en quelque sorte, offre un résumé des nouvelles que vous allez lire.

Ces textes inédits, où se mêlent gravité et dérision, disent un pays qui vit en essayant de concilier ses traditions et la nécessaire transformation de la société. La place de la femme, le rôle de la famille, l'Histoire, la mort, l'immigration, la religion, les tabous... ces thèmes traversent toutes les nouvelles de ce recueil, écrites par des auteurs conscients de contribuer, avec leurs mots, à une meilleure connaissance du Maroc. Un Maroc en quête de modernité, qui ose s'interroger sur lui-même, sans masque, librement.

Loïc Barrière

ÉTRANGE CADAVRE

Mohamed Choukri

Un cri retentit sur la grande place. Un corps vivant s'effondre sur le sol. Les gens accourent de partout. Le corps agonise. Ses yeux fixent le ciel bleu, ils s'éteignent lentement.

Dix heures du matin. Les gens affluent de tous les côtés. Le soleil réveille dans les mémoires les temps anciens où il était dieu.

— Il ne bouge plus !

— Personne n'ose le secouer. Il est mort comme ça, c'est étrange. C'est effrayant !

Il y a des gens aux fenêtres, aux balcons, sur les terrasses des maisons, dans les arbres. Ils arrivent de toutes parts, à pieds ou motorisés. Les bien-portants et les malades, les jeunes et les vieux, les riches et les pauvres. Tous admettent que le cadavre est bien étrange. Aucun n'ose s'en approcher.

Onze heures du matin. Le cadavre est toujours là. À présent, beaucoup de gens sont assis par terre. Petit à petit, ceux qui sont debout s'assoient à leur tour. Ils fixent inlassablement le cadavre qui commence à dégager des étincelles.

Ils bâillent, somnolent, boivent des boissons fraîches, mangent des galettes farcies, fument, mâchent du chewing-gum, rient, flirtent, jouent des coudes à la recherche d'une meilleure place assise ou debout. Ils vont et viennent. Ils s'interrogent sur l'étrange cadavre. Ils s'éloignent pour se dégourdir les jambes, reviennent, seuls ou avec de nouveaux arrivants.

Onze heures et demie. Beaucoup d'ouvriers arrivent sur la place, médusés. Ils ont quitté leur travail avant l'heure pour voir le cadavre flamboyant qui commence à se déformer. Le soleil tape dur. Ils transpirent, s'épongent avec leurs mouchoirs ou leurs manches. Ils se bousculent à la recherche d'un peu d'ombre, sous les arbres, sous les auvents des cafés et des magasins. Un vieillard titube, bouscule une jeune fille debout. Des femmes hurlent. Les enfants braillent. La frayeur sur le visage de la jeune fille.

— Simple vertige, n'aie pas peur. Il n'est pas mort. C'est la chaleur.

— Rentrez chez vous, monsieur ! vous ne pourrez pas tenir sous ce soleil de plomb !

Le vieillard bouge un peu.

— Non. Je reste là. Donnez-moi un peu d'eau.

Midi passé de quelques minutes. Les fonctionnaires et les hommes d'affaires viennent grossir la foule. Beaucoup de ceux qui sont debout se décident à s'asseoir. Ils mangent des galettes farcies avec appétit.

— Je croyais que c'était une plaisanterie. En effet, il est bizarre, ce cadavre.

— Il est là depuis dix heures ce matin.

— Regardez! Regardez la fumée phosphorescente qui en sort !

— Oui, je vois.

— C'est la première fois de ma vie que je vois un cadavre dégager une telle chose.

— Étrange !

— Tu vas travailler, cet après-midi ?

— Je ne crois pas.

— Mais tes supérieurs sauront que tu es ici, en train de regarder ce cadavre se consumer.

— Il sont tous ici. Personne ne retournera au travail. Tu verras.
— Un cadavre qui brûle tout seul ! Comment rater ça ?
— C'est vrai. C'est un étrange phénomène.
— C'est peut-être une nouvelle espèce humaine.
— Possible.
— Et personne ne s'en est approché ?
— Tu es fou ? Qui oserait s'approcher d'un cadavre qui brûle tout seul ?
— Personne n'a osé ?
— Personne.
— Bizarre !
— Et si tu essayais ?
— Moi ?
— Oui, toi.
— Pourquoi ?
— Pour voir si ça brûle.
— Essaie toi-même.
— Moi, je sais que ça brûle.
— Comment le sais-tu ?
— Regarde ! Regarde ces étincelles ! Le plus étrange, c'est qu'il n'y a pas d'odeur. Tous les cadavres qui brûlent ont une odeur...
— Ce n'est pas un cadavre comme les autres.
— Peut-être qu'il ne puera que la nuit venue.
— Je ne crois pas. Les cadavres puent davantage le jour que la nuit.
— Nous verrons.
— C'est peut-être un corps venu d'un autre monde.
— Tout est possible. Qui peut savoir ?
Ils s'allongent. Ils font la sieste.
Sous un arbre, des femmes et des jeunes filles se rassemblent soudain et forment un cercle. Une femme enlève sa djellaba, quatre autres s'en emparent. Une jeune fille ôte sa veste, deux autres femmes la déploient et s'en servent comme d'une couverture, avec la djellaba, au-dessus des autres femmes penchées.

— La pauvre ! Qu'Allah lui vienne en aide.

Une petite fille pleure.

— N'aie pas peur, ma chérie, ta mère est là, elle n'a rien. N'aie pas peur, nous sommes là.

La jeune fille la serre dans ses bras, l'embrasse et la rassure. La petite se calme. Elles s'attroupent. Elles arrivent de tous les côtés, le cercle s'agrandit. Un garçon s'approche et tente de pénétrer ce cénacle exclusivement féminin. Une femme le repousse gentiment.

— Éloigne-toi ! Tu ne dois pas voir ça.

Obstiné, le garçon la toise d'un œil agressif.

— Non !

Elle le refoule avec douceur. Il s'éloigne, l'air mécontent. La femme est agacée.

— Regardez-moi ça ! L'impudent ! Essaie donc de t'approcher...

Elles se précipitent. Elles se bousculent autour du cercle. Elles tendent le cou. Elles fourrent leur tête ici et là, à la recherche d'une brèche pour mieux voir ce qui se passe. Elles continuent d'affluer. Le cercle s'agrandit encore. Des enfants égarés cherchent leurs parents, d'autres jouent à cache-cache. Certains crient, d'autres pleurent, rient, cherchent, courent, se chamaillent.

— Ouaaa ! Ouaaa !

— Un garçon! C'est un garçon !

— Comment va-t-elle ?

— Ça va.

— Elle a de la chance.

La place n'a jamais été aussi bien éclairée. Les curieux continuent d'affluer, ils viennent d'autres villes, proches et lointaines. Des caméras filment la décomposition du cadavre qui projette des flammèches phosphorescentes. Des enfants dorment cramponnés à leur mère, d'autres jouent. Des élèves font leurs devoirs. Des enseignants préparent les leçons ou corrigent les devoirs. Il y a des chefs et des subalternes. À présent, le cadavre est à moitié calciné. Les membres se détachent du corps. Le crâne se sépare du squelette et continue de scintiller. Les gens s'y intéressent de moins en moins, mais ils restent là. Certains font un petit tour et reviennent pour remplacer ceux qui n'en peuvent plus d'être assis. Ils se relaient devant le cadavre. Beaucoup trimballent avec eux des couvertures, des ustensiles de cuisine et des réchauds à gaz.

Tanger, le 10 juin1971

(Traduit de l'arabe par Mohamed El Ghoulabzouri)

LE TATOUAGE BLEU

Nadia Chafik

Je me faufile au milieu de la foule dense comme un essaim de mouches. Je passe de halqa en halqa, à la recherche de celle qu'on m'a indiquée. Je m'arrête et vois, au milieu d'un cercle de spectateurs, une femme d'une trentaine d'années dans un accoutrement masculin. Elle s'agite, se cambre et se roule par terre avant de reprendre son récit. «C'est Aouïcha», me renseigne-t-on. Elle a un visage angulaire où se développe un duvet noir et dru. Sa voix est rauque, ses jambes anormalement musclées et ses épaules carrées. Rares sont ceux qui ne doutent pas un instant de son sexe. J'entends, entre les rires gras de deux hommes, la réflexion d'un adolescent : «Nous n'avons qu'à la violer cette nuit même pour nous assurer de son identité !» Dans cette ville éternellement assoiffée de sexe et d'herbes hallucinogènes, Aouïcha, femme ou homme, fait très bien l'affaire des mâles. Même si elle eut été un animal. Je frémis de peur. Je suis la seule femme dans cet attroupement !

Ainsi Aouïcha commence-t-elle son histoire : «La caravane passe et la chienne aboie… Les femmes du pays ont fait mon malheur. Ô mes frères ! Zahra m'a jetée à la rue avec le consentement du vieux… Kouider m'a répudiée avec la bénédiction de sa génitrice… Je ne suis pas une beauté fatale, mais qui jadis m'a connue vous dira mon teint de porcelaine et ma chevelure de jais… Regardez-moi, braves gens !

J'ai les dents d'un râteau et des poils me poussent sur tout le corps comme un chimpanzé. Je ne sais ni mijoter les tajines ni enfanter la joie, mais qui jadis m'a connue… Je suis un procès, disent-elles ! Et pourtant j'ai encore mille atouts qu'elles m'envient.»

À ces mots, Aouïcha a un sourire malicieux. Elle se dirige à l'avant du cercle et esquisse vulgairement trois mouvements de la danse du ventre devant un bel homme du premier rang qui lui plaque la main contre la poitrine et lui glisse un billet entre les seins. Des commentaires de mauvais goût s'élèvent de partout. Des pièces de monnaie pleuvent aux pieds de la foraine qui les ramasse une à une comme pour prolonger le plaisir, faisant vibrer son postérieur sur le rythme d'un bendir qu'un gamin réchauffe de temps à autre sur un brasero, afin d'en raffermir la peau distendue. «La caravane passe et la chienne aboie… mais il y a encore parmi nous des hommes de bien. Soyez généreux mes frères !…», reprend-elle, regagnant sa place initiale. Elle se roule, se cambre à nouveau, lapant l'asphalte à grands coups de langue comme une vipère, puis se remet debout et dit à l'assemblée attentive : «Je suis une chèvre… Je bêle comme une chèvre.» Elle imite le caprin, provoquant le rire de quelques-uns, et exécute adroitement deux acrobaties avant d'hululer. «Et je sais chanter et danser comme une chouette sur une mosquée. *Tat chanté tat dansé…* malgré ma douleur d'être femme.» Un silence se fait, puis Aouïcha reprend son récit : «À quatorze ans, mon père m'a contrainte à épouser le vieux Baâlouane qui a quitté ce monde la nuit de mes noces… Pauvre Baâlouane ! Il a succombé à mes charmes. Si vous saviez comment…» Soudain la femme interrompt son histoire et chasse les enfants du cercle : «Allez ouste ! Du vent ! Fils de l'adultère… ! Toujours là où il ne faut pas ! Toujours à traîner dans mes jambes. Que voulez-vous voir ? Mon cul ? Allez vous faire foutre ! » Elle remet de l'ordre dans ses vêtements et scande de nouveau ses paroles plaintives à l'intention des adultes agglutinés les uns aux autres : «Quand le vieux est mort, mon frère m'a dépossédée de ma dot et de mon héritage… Il m'a ensuite bradée. Il y a eu Abdelkader, Kouider, puis Jilali, le contrebandier de cannabis que vous connaissez tous. Il a bien pris soin de moi ! Il a fait de moi sa chienne, sa putain… Il me pissait dessus quand cela lui chantait parce qu'on lui en donnait le droit, parce que je ne suis qu'une femme et qu'il est un homme, parce que c'est ainsi qu'il faut traiter la femme, me disait-il. Et dire que je l'ai cru jusqu'au jour où apparut Erroumya dans mon profond sommeil : "Aouïcha, Aouïcha, réveille-toi !… Eh ! L'Arabe ! Réveille-toi, bon sang !… Ouvre les yeux !"»

Un badaud, ennuyé d'avoir écouté plus d'une fois ce récit, quitte les lieux. La conteuse le rappelle gentiment : «Où vas-tu, Seigneur des hommes ? Reviens ! Que le salut soit sur notre Prophète ! Tu ne sais où se cache le bien. Voilà un siècle et des poussières que tu le cherches vainement dans mes refrains. Tu ne l'as pas encore trouvé. Ni ici, ni ailleurs… mais reste encore un peu. Attends, ne t'en vas pas !» Aouïcha s'approche de l'homme et lui passe sa natte sur le visage dans une caresse provocante. Elle cligne des yeux et lui dit sur un ton mielleux : «Peut-être le trouveras-tu ce soir dans mes morsures ?» L'homme sourit. Son front se déride. Il se mêle de nouveau à l'attroupement, rêveur.

«La caravane passe et la chienne aboie… La chienne aboie et j'empoche vos dons pour nourrir les maîtres de ces lieux, les forces du bien, les djinns El Bouab et Bjaj. Soyez généreux ô bienfaiteurs ! Demain l'amour et l'argent couleront à flots dans les jardins d'Adam et Haoua. Demain vous guérirez de vos maux. Demain… Regardez avec moi s'éclipser le soleil amer comme une orange !» La foule scrute l'horizon à l'endroit où l'astre laisse une longue traînée de feu. Le gamin chargé de réchauffer le bendir abandonne sa tâche et, leste comme l'éclair, fait les poches à trois spectateurs fascinés par un crépuscule ordinaire, que les paroles d'Aouïcha embellit. La *halqa* plonge dans le noir alors que s'allument quelques faibles lanternes. Certains déchiffrent l'heure qu'indique leur montre avant de se retirer du cercle. D'autres allument une cigarette, absorbés par les gesticulations parodiques de le jeune femme qui ne se lasse pas de répéter le même refrain : «La caravane passe et Aouïcha aboie...»

J'attends que se dispersent les derniers retardataires pour aborder la jeune femme occupée à ranger ses accessoires. Dès qu'elle m'entend prononcer son nom, elle pivote sur elle-même et me transperce du regard. J'appartiens à cette espèce qui a participé à son malheur. La junte féminine. Elle grogne comme un animal prêt à déchiqueter sa proie, crache par terre, à deux reprises, une grosse boule visqueuse, comme pour m'intimider, et de sa grosse voix me dit : «Votre honneur !» Sa formule de politesse est si méprisante que je suis tentée de tourner les talons. Mais une force me retient. La clé de mes déboires est peut-être entre les mains de cette créature étrange qui m'a fait parcourir tant de kilomètres. J'ouvre mon portefeuille comme si je cherchais un document, laissant délibérément tomber un gros billet que je ramasse ensuite sans me presser. À sa vue; Aouïcha me sourit, montrant un alignement de dents ravagées par le tabac. Elle quitte subitement son attitude dédaigneuse et s'avance vers moi :

— Oui, ma sœur ! Qu'y a-t-il pour ton service ?

— On m'a adressée à toi parce que tu as le don de remettre de l'ordre dans les affaires de couple.

— C'est exact... On ne t'a pas menti. Et que t'a-t-on encore dit à mon sujet ?

— Que du bien ! Beaucoup de bien...

— Hmm... Parle ! Je t'écoute.

— Tu sais donner de sages conseils et j'aimerais en profiter.

— Si on les applique à la lettre, pas besoin d'aller consulter les sorcières du pays.

— Je n'ai nullement l'intention de me faire plumer par

des charlatans. J'ai traversé tout le pays pour te rencontrer.

— Nous allons nous entendre. Laisse-moi terminer mon rangement et je suis à toi... rien qu'à toi, ma gazelle !

— Je ne veux surtout pas abuser...

— Allons chez moi boire une bonne harira.

— Merci pour ton hospitalité

— Pas de chiqué avec moi, fille de mon bled. Laisse ça à d'autres ! Viens ! Suis-moi !

Aouïcha m'entraîne hors de la ville, dans un village de kasbahs plus hautes les unes que les autres. Nous gravissons des collines jusqu'à une chaumière éclairée par une lampe à pétrole. L'enfant au bendir disparaît dans la montagne, écrasée de brume, et revient aussitôt les bras chargés d'un fagot de bois. Pendant qu'il fait du feu, Aouïcha quitte sa djellaba, lave ses membres à l'entrée de la chaumière, balbutiant le rituel des ablutions. Ses jambes et ses avant-bras sont couverts de poils. Sous la densité de sa pilosité, un tatouage bleuté m'intrigue; il ressemble curieusement à celui de Homane, mon époux. La femme prononce trois fois une prière dans un idiome étrange que je ne suis pas en mesure de comprendre. On dirait qu'elle aboie. L'enfant découpe une galette de ses ongles noirs de crasse et nous sert un bol de soupe. Il s'enfonce dans la nuit et n'en ressort qu'aux appels de sa maîtresse. Des sortes de grognements. Aouïcha, qui jusque là n'a pas soufflé mot, lui dicte ce qu'il lui reste encore à faire. Et entre deux rots malodorants, elle me demande enfin quel était l'objet de ma visite.

— Voici : le sort m'a lié à un mari ivrogne qui, chaque soir, me roue de coups. Je ne peux plus endurer cela et il ne veut pas me répudier. Mes enfants vomissent leurs entrailles à force de pleurer. Leurs larmes sont pour moi des larmes de sang. Cette situation a trop duré. Comment y remédier ?

— Ton problème n'en est plus un. Écoute bien ce que je vais te dire ! Tu as deux solutions. La première demande de l'entraînement, de l'argent et un peu de patience, or il me semble que la patience, tu n'en as plus. Mais tu ne perds rien à savoir de quoi il s'agit. Pourquoi tu ne t'inscris pas en douce à un cours de karaté ?

J'étouffe un rire qui l'irrite. Elle fait la moue et reprend :

— Tu ne sembles pas prendre mon conseil au sérieux, l'amie. L'autodéfense est légitime. Il n'y a aucune honte à pratiquer ce sport. Vous, les filles de la grande ville, cela vous est permis. Dès que tu seras sûre de tes muscles, tu donnes à ton ivrogne une correction qu'il ne sera pas prêt d'oublier. Pourra-t-il alors confier à mes amis et au cadi que sa femme le bat ? Non ! Trop fier, ton homme ! Trop fier ! Il n'aura pas d'autre choix que de se recroqueviller et de te ficher la paix à jamais. Il sera à ta merci. Il viendra te manger dans la main, ce ibnoukalboun, ce fils de chien !

— Cela me semble tout de même…

— Relever de l'impossible ? N'est-ce pas ce que tu veux dire ?

— Oui, enfin…

— Bon, il te reste alors la seconde solution : fais dormir les enfants, puis transforme-toi en une vagabonde démente. Ébouriffe tes cheveux, colles-y des toiles d'araignées, des coquilles de cafards ou tout insecte qui te tombera sous la main. Tiens ! Un rat, par exemple ! Farde-toi de suie et enveloppe-toi d'oripeaux qui sentent le cuir tanné, l'animal, l'égout, la merde… Assure-toi, dans un miroir, que tu es devenue méconnaissable. Il faut que tu parviennes à te faire peur à toi-même, à avoir la nausée. Ensuite, attends ton homme deux maisons plus loin ! Jette-toi sur lui, une patte de veau à la main, que tu brandiras au-dessus de sa tête ! D'une voix grave que tu imiteras, menace-le !

— Que devrai-je lui dire ?

— Comment s'appelle ton homme ?

— Homane.

— Fils de ?

— De Ouachma et de Belaïd.

— Homane… Ouachma… Belaïd… Il me semble connaître cet homme… Je crois l'avoir déjà rencontré dans une autre vie, il y a des siècles, dans mes rêves…

Aouïcha hésite un instant et reprend son discours.

— Eh bien ! Tu n'auras qu'à répéter dans un écho : «Ya Homane, fils de Ouachma et de Belaïd ! Ton heure est venue…»

— Je crains qu'il ne me reconnaisse !

— Aucun risque si tu respectes mes consignes. De plus, son état jouera en ta faveur. L'effet de l'alcool t'aidera. Fais-toi image, vapeur, fantôme… Laisse ton rire exploser dans la nuit et menace-le sans pitié. Dis-lui : «Ton heure est venue… Et tu n'es même pas sobre pour faire ta prière. Je vais t'étriper… Je vais t'écarteler…» Il te suppliera, mais tu le feras encore marcher. Soutire-lui des promesses qu'il devra tenir. Demande-lui la lune si tu veux, précise-lui que s'il venait à mentir, il offenserait tes terribles mlouks qui s'acharneraient sur lui… Profite de sa terreur pour lui demander l'impossible, comme ça il vivra dans la peur de son ombre. Exige, ensuite, qu'il ne lève plus la main sur son épouse…

Aouïcha ne me laisse pas le temps de placer un mot. Elle me congédie rapidement après avoir enfoui dans sa poitrine opulente le billet que je lui tends, sans même me remercier. La nuit est bien avancée.

— Au revoir, ma sœur, et que Dieu te vienne en aide ! Reviens me voir à ton prochain passage par ici !

Je donne une pièce à son assistant qu'elle charge de m'accompagner à la gare routière. Je regagne ma ville après avoir retraversé tout le pays, prête à mettre mon plan à exécution. Seulement voilà, Homane, fils de Ouachma et de Belaïd, a disparu. Il n'est revenu ni ce soir-là, ni le lendemain, ni les jours suivants.

Je l'attends encore sept nuits dans mon déguisement répugnant, espérant le voir réapparaître, mais en vain. On m'apprend qu'il est parti, pendant mon absence, avec un jeune garçon du patelin voisin...

Je quitte les oripeaux de la mascarade et reprend le car à l'aube pour raconter à Aouïcha mon infortune.

À la place de la foraine, il y a un dresseur de singes et un charmeur de serpents. Ils disent n'avoir jamais entendu parler d'Aouïcha. Ils ne me prennent pas au sérieux quand je leur affirme que je l'ai rencontrée et qu'elle m'a invitée à prendre la harira dans sa chaumière. Ils se regardent, une lueur de complicité dans les yeux, et partent d'un rire moqueur. Le dresseur de singes me tourne le dos comme s'il cachait son visage et dit à son compère : «Explique à cette étrangère que ce lieu nous appartient depuis des siècles. Nos arrières-grands-parents y étaient déjà des avaleurs de feu et buveurs d'eau bouillante. Je n'ai pas de temps à perdre avec elle. Elle n'a qu'à aller à la chaumière de sa Aouïcha puisqu'elle dit y avoir déjà été.»

Alors que je remonte péniblement la première colline par laquelle je suis passée avec Aouïcha, je repense au dresseur de singes. Je l'ai vu quelque part... Où ? Au moment où il m'a tourné le dos pour parler au charmeur de serpents, il me semble qu'il a dissimulé quelque chose dans la capuche de son burnous... Je ne saurais dire quoi. Un bout de djellaba rayée... un morceau de bendir cassé... Quelque chose en tous cas qui me rappelle Aouïcha... Plus je grimpe, plus je suis persuadée que le gamin qui accompagnait la foraine dans ses spectacles n'est autre que ce dresseur de singes... mêmes traits... mêmes yeux clairs enfoncés dans leurs orbites... mêmes oreillles décollées... Et cette voix qui mue... Et s'il avait empoisonné sa maîtresse ? Et s'il l'avait jetée du haut de ces montagnes ? Qui le saurait ?

Mes pensées cheminent en arrière, remontent le temps et s'arrêtent sur le souvenir d'Aouïcha, tandis que mes pas me conduisent à sa chaumière incendiée. Sur les meules de paille encore fumantes, dans les émanations d'alcool à brûler échappées de la lampe à pétrole, traînant parmi les débris du sinistre, des chiens errants se disputent une charogne qu'ils s'arrachent à coups de crocs. Ils déchirent un bras tatoué au bleu, le ballottent dans un grognement sauvage, léchant leurs babines écumeuses de bave et de sang.

LES JOIES DE LA RÉPUDIATION

Karim Nasseri

À Marc, tendrement

Ma mère s'était habillée de noir. Comme endeuillée. Elle était figée. Comme momifiée. Assise, inerte, sur un tapis aux couleurs ternes, dans un coin sombre du patio de la grande demeure. Sans ses yeux vert brillant et ruisselant de larmes chaudes, on l'aurait crue morte.

Mon père s'affairait tranquillement dans la cuisine. Entre bouilloire et théière, il était occupé à préparer son breuvage favori, le thé à la menthe. Mes drames ne l'affectent jamais.

Mes deux sœurs s'étaient cloîtrées dans leur chambre, donnant cours à des pleurs angoissants et à des cris déchirants.

Mon frère Kader, dit le Marqué, parce qu'il fut, autrefois, mordu par un chien sur la joue droite, affirma avec l'air de quelqu'un qui maîtrise parfaitement la situation :

— Elle a quitté le foyer conjugal sans ton avis, ni celui de la matrone de la grande demeure ! Va, sois courageux et répudie-la, elle ne te mérite pas ! Tu es encore jeune et beau. Demain, si tu veux, tu peux te remarier et avec la plus belle et la plus intelligente des filles. Ne sois pas amer, c'est ton mektoub.

Au moment où j'allais sortir, ma mère, toujours muette et drapée dans son haïk, me jeta un regard froid et désagréable, sortit de son corsage une bourse cousue dans un tissu noir et complètement usé et, d'un geste ferme et précis, la mit dans la poche droite de ma veste.

Sans apostropher Aïcha la douce, qui ne m'aurait sans doute pas répondu, et sans palper la bourse, j'en savais le contenu. J'en avais porté une semblable durant toute mon enfance. Ma mère l'avait cousue à même la djellaba de laine grise que je portais été comme hiver. La pauvre Aïcha ma mère avait toujours cru que six grains d'orge, trois petits morceaux de charbons de bois, une pincée de sel ou d'alun et le croc d'une hyène mordue par un serpent conjurent le mauvais sort et apportent bonheur et chance.

Seul, le cœur serré et plein de haine, je quittai la grande maison en direction de la médina. Le tribunal des mœurs se trouve au cœur de la vieille ville. Juste à côté de la grande mosquée et du vieux hammam. Là où, autrefois, nos ancêtres s'entre-tuaient pour un oui pour un non, et exhibaient les têtes tranchées de leurs victimes; là où les Français, un certain 14 août 1848, avaient achevé, méthodiquement et avec sang froid, les rescapés de la bataille d'Isly; là encore où, le 5 juin 1967, les musulmans de la ville, en solidarité avec le peuple palestinien, avaient brandi leurs armes contre la communauté juive. Cette même communauté qui avait profité de cette vilaine occasion pour aller vivre sur une terre meurtrie.

J'avançais avec difficulté. Mes jambes tremblaient et mon cœur voulait quitter ma poitrine. Je n'avais jamais mis les pieds dans un tribunal et l'idée d'affronter un juge me répugnait. Qu'allais-je bien pouvoir dire à un homme centenaire, barbu, portant une djellaba blanche et des babouches jaunes et qui avait prêté serment sur le livre sacré ? Que je voulais me séparer d'une femme que j'avais moi-même choisie ? Et pourquoi ?

«Certes moi aussi j'aime
moi aussi je souffre
mais un être tel que moi
ne saurait révéler ses secrets.»

— Elle ne me fait plus l'amour comme elle me le faisait quand nous étions encore amants.
— Des amants ? Qu'à Dieu ne plaise !
— Oui, Monsieur le Juge, j'étais son amant et elle était ma maîtresse. Je l'avais maintes fois baisée pendant que son honorable père ronflait comme un porc et que sa mère s'affairait dans sa cuisine.

— Elle ne se déshabille plus avant de se coucher. Ses seins, sa bouche et ses fesses me sont interdits. Chaque fois que je la pénètre, elle récite des versets coraniques, des bribes de hadiths et s'évade dans des prières saugrenues. Et, sauf votre honneur, elle me trompe. Oui, Monsieur le Juge, elle me trompe avec un vendeur ambulant.

Mes jambes tremblaient de plus en plus fort. Des gouttelettes de sueur avaient mouillé mon front et un goût amer s'était emparé de ma bouche. Quand je m'arrêtai pour sortir mon mouchoir et m'essuyer le visage, des vertiges me firent tourner la tête. Une sueur froide me fouetta le dos, un voile grisâtre couvrit mes yeux. Je m'agrippai à un mur et, doucement, me laissai choir sur une marche au seuil d'une vieille maison. Une dame, enveloppée dans un drap noir en guise de haïk, sans me regarder, m'enjamba, tourna la clé dans la serrure et disparut derrière la porte peinte en bleu.

La foule opaque, les odeurs associées du cuir et des épices mariées à celles des sardines grillées et des pâtisseries au miel et à la fleur d'oranger, les cris des vendeurs ambulants, l'étroitesse des rues et des ruelles me firent comprendre que j'étais dans la vieille ville. Bercé par les bruits, les couleurs et les odeurs, je déambulais, fasciné, comme si je découvrais, pour la première fois, ce monde sensuel et, pour moi, sexuel, de la médina. Je fus ébloui quand, dans ce brouhaha assourdissant, ces couleurs et ces odeurs vertigineuses, mes yeux tombèrent sur l'enceinte grandiose du tribunal.

Mes forces me revinrent et je me sentis heureux comme un enfant qui retrouve, après une longue séparation, ses parents chéris. La beauté sans égale du site me fit oublier jusqu'au destin maudit qui m'avait jeté dans une telle situation.

Que n'aurais-je pas donné pour chasser le juge au visage glabre, à la djellaba blanche et aux babouches jaunes, son châouche myope comme une taupe et tous ces gens — les hommes assis d'un coté, les femmes de l'autre et les enfants courant en tous sens et criant comme des diables — de cet endroit majestueux, sacré et apaisant ?

Un grand patio parsemé, ici et là, d'un cyprès, d'un oranger, d'un citronnier, d'un laurier, d'un olivier, un sol au zelij bleu et blanc et des murs couverts d'un marbre vert qui me rappela les portes du paradis, que n'aurais-je donné pour habiter, seul, ce palais immense et beau ?

Au moment où j'en franchis le seuil, je fus saisi d'une joie vertigineuse et j'oubliai le motif grave qui m'y menait. Le tintamarre provoqué par les coups de marteaux donnés par des vieux sans âge sur des plaques de cuivre, les cris des vendeurs ambulants et des enfants jouant dans les ruelles étroites et sales de la casbah ou frottant et astiquant des plateaux en argent qui serviraient lors des mariages entre familles bourgeoises de Fez ou de Tetouan, les bruits des sabots des ânes et des mules transportant des marchandises, cessèrent. Le palais était comme un sanctuaire qui, seul, par la force et la grâce de ses hautes murailles, savait se préserver des bruits désagréables et des regards indiscrets qui dérangeraient les fidèles.

Sans les chuchotements de ces hommes et de ces femmes venus pour se plaindre, demander réparation ou délivrance, sans les branches des lauriers s'agitant au gré du petit courant d'air frais qui habite les vieux murs aux couleurs du paradis, le silence était total.

Mes yeux éblouis de lumière, mon cœur ravi et joyeux malgré les problèmes dans lesquels j'étais noyé, mon esprit apaisé, mon corps devenu soudainement léger par je ne sais quel miracle, je pris place parmi les hommes rieurs et devisant. En face de moi, les femmes drapées dans leurs haïks ou leurs djellabas, ne cessaient de jacasser.

— C'est une construction ottomane du XVIIe siècle.
— Pas du tout. Les Ottomans n'ont jamais mis les pieds au Maroc. Le bâtiment est purement alaouite.
— Les Ottomans n'ont pas occupé tout le Maroc, mais Oujda est tombée entre leurs mains.
— Peut-être, mais....

— Monsieur le Juge est un Fassi. Il a étudié à la grande medrassa d'El Karaouiyine.
— Il tranche en un clin d'œil, comme un couteau bien aiguisé. Il n'aime pas les femmes. Il les trouve compliquées, faibles et vicieuses.
— Mon père m'avait forcé la main. Je n'avais accepté Fatma que par respect pour lui.
— Que Dieu ait son âme. C'était était un homme intègre et serviable. Le père de Fatma n'a pas cessé de le harceler. Il voulait caser sa fille aînée à tout prix.
— C'est moi qui paye les frais de cette amitié hypocrite.

— Nous venions d'acquérir notre indépendance, les Français laissaient le pays dans un désordre et un désarroi total. Notre honorable juge n'était qu'un pauvre fquih dans une école coranique misérable quand les nouvelles autorités le placèrent à la tête de ce tribunal piteux et aux lois aveugles.
— Avant d'être fquih, il n'était qu'un simple vendeur ambulant. Il passait ses longues journées à crier ses fèves, ses pois chiches et sa menthe fraîche.
— En tant qu'imam de la mosquée d'un petit bourg dans la région de Fez, il abusait, comme la plupart des imams, de la confiance des croyants. Il mangeait, buvait, logeait et baisait gratuitement.

— C'est grâce aux soixante hizbs et aux milliers de hadiths qu'il a été élu juge pour marier à contrecœur et faire divorcer avec grande joie.

— Je vois encore mon pauvre père — que Dieu ait son âme — drapé dans un vieux manteau rapiécé, les pieds nus et saignant, ma mère dans son haïk, grelottant de froid, les yeux versant des larmes chaudes, ma petite sœur, mariée à un gaouri à l'heure qu'il est, dans ce qui restait d'une petite robe terne, et moi, sur le dos de l'unique bien que possédait la famille, un vieil âne affamé.

— Vous fuyiez, sans doute, la famine que les Français avaient laissée derrière eux en quittant le pays en 1956.

— Que ta mort soit musulmane et paisible. Nous partions vers l'est. Mon père avait entendu dire que les colons avaient besoin de main d'œuvre sur les terres algériennes.

— Nos frères algériens avaient pris les armes et habitaient les montagnes.

— Il ne m'a jamais honorée comme il se doit. Je ne veux plus de son sexe minuscule, de ses absences prolongées et répétées. Je suis prête à cracher ma frustration sur la face glabre de Monsieur le Juge. Ce n'est pas parce qu'il récite les versets d'Allah, jeûne tous les vendredis et se rend, chaque année, à La Mecque, qu'il m'intimidera. Mon malheur a assez duré.

— Femme, chasse Satan de ta tête, couvre tes membres provocants et rentre chez toi !

— Mon mari, comme tous les hommes, traite les femmes de Satan. Si mes beaux membres te provoquent, tu n'as qu'à baisser le regard.

Ça sentait bon le jasmin, la menthe fraîche et le pain chaud. Un potager florissant occupait le milieu de la vaste cour de la grande enceinte construite par les Maghraouis. Le four public, propriété du juge, était mitoyen du tribunal où ce même juge, ancien vendeur ambulant et imam, tranche entre des femmes désespérées et des hommes perdus, entre une vie de couple stable et un désir violent qui les jetterait entre d'autres bras.

Chaque jour, entre dix heures et dix heures quarante-cinq, le juge prenait une pause pour manger un grand pain chaud et l'oignon rouge qu'un gamin aveugle d'à peine dix ans lui apportait. Le pain enveloppé dans un torchon d'un blanc immaculé et l'oignon rouge exhibé dans la petite main gauche de l'enfant frayant son chemin, avec fierté, et maudissant tous les hommes lâches et toutes les femmes endiablées qui viennent régler leurs comptes auprès d'un cadi corrompu au visage glabre et au nez crochu, et priant le Tout-Puissant de sauver l'humanité du fléau de ce siècle maudit.

Profitant de la pause du juge qui allait passer quarante-cinq minutes à mastiquer son oignon et son pain sec trempé dans la délicieuse huile d'olive qu'un riche propriétaire lui avait donnée pour qu'il ferme les yeux et le laisse exproprier les terres des autres, les hommes et les femmes présents au tribunal s'étaient mis à raconter des histoires grossières.

— Un jeune homme prénommé Sadeq avait trois testicules. Il en était très fier. Il passait son temps à narguer les passants en disant à chacun d'entre eux : «Tes glaouis et les miennes font cinq», puis, tout content, il éclatait d'un rire gras face à ses victimes, qui ne savaient quoi répondre.

Et puis un jour, Sadeq accosta un vieillard et lui dit : «Tes billes et les miennes font cinq» et le vieux de lui répondre : «Pourquoi, mon petit Sadeq, t'en as qu'une seule ?»

— Un petit enfant d'à peine sept ans passait sa journée à taquiner un agent de police. Il allait au rond-point d'où le pauvre fonctionnaire dirigeait la circulation et, de loin, lui criait : «Toi, à 11 heures, je te baiserai». Un jour, l'agent ne pouvant plus supporter l'insolence du gamin, le poursuivit.

Quand l'enfant arriva, haletant, à la maison, son père en sortit. L'agent lui expliqua les faits. Et le père de rétorquer : «Il n'est pas encore 11 heures, mais je suis prêt à te baiser.»

— Mohamed s'entendait à merveille avec son patron, Monsieur Michel. L'immigré marocain faisait tout. Jusqu'au ménage. Un jour le patron «françaoui» proposa à l'ouvrier de ramener, en France, sa femme et sa marmaille.

Fatna, la femme de Mohamed, était généreuse. Elle passait la plupart de son temps à cuisiner des plats succulents pour Monsieur Michel et sa femme, Madame Jacqueline. Et puis arriva le jour fatal. Jacqueline, la Française, surprit la Marocaine en train de raser son pubis. Jacqueline tint à ce que Fatna lui rasât le sien.

Le soir venu, Monsieur Michel découvrit avec écœurement la chatte glabre de Madame Jacqueline et expulsa Mohamed et sa famille.

Quand les amis de l'ouvrier marocain lui demandaient pourquoi il avait quitté le pays de De Gaulle, il leur répondait qu'il s'était fait expulser à cause de Fatna la coiffeuse.

J'avais l'impression d'être au milieu d'une foire, d'un souk ou d'un cirque. Des enfants criaient, couraient ou grimpaient sur les pauvres arbres et en arrachaient les branches; des femmes pleuraient, imploraient Dieu et lançaient des youyous. Des hommes, au bord du délire, continuaient à raconter des histoires obscènes et riaient comme s'ils étaient là, dans ce tribunal, pour se distraire et non point pour régler le plus sérieux des problèmes.

Le châouche mit fin à ce vacarme en criant :

— Fatna bent Elhocine, Elhocine ould Fatna sont priés d'honorer notre cadi.

Je vis une vieille femme et un vieil homme se lever avec peine et se diriger vers le bureau du juge. Est-ce possible qu'à cet âge on veuille divorcer ? Pourquoi pas ! Et si le vieil homme avait découvert que sa vieille femme avait un amant ?

Et si la vieille femme avait découvert que son vieux mari avait une maîtresse ?

Les deux vieux disparurent derrière la très belle porte sculptée dans du bois de cèdre et le calme revint. Enfin, presque....

— Le rif ne vit que du kif. Une terre fertile mais capricieuse. Elle ne donne ni blé ni orge. Le cannabis y pousse et y fleurit.

— Je m'en souviens, comme si c'était hier. Imzouran, Beni Hdifa et d'autres villages blancs et bleus, bombardés à l'aveuglette. Frappés comme s'ils faisaient partie d'une terre ennemie.

— Mais les Rifains avaient......

— Taisez-vous. La Boulitique est sacrée et les murs ont des yeux et des oreilles.

— Je n'enterrerai jamais mon père dans un linceul blanc. Le noir lui conviendrait mille fois mieux. Lui qui a transformé le printemps de ma vie en automne. Il a su transformer ma tendre vie en cauchemar.

— Que Dieu te pardonne, femme ! Qu'est ce qu'on ne doit pas entendre. La couleur du linceul ne doit pas se discuter. Dieu et son Prophète avaient dit blanc et, dans le blanc, couleur de notre sainte religion, nous devons enterrer nos morts.

— Dieu a interdit aux hommes le port de l'or et de la soie. À l'achat d'un linceul, il faut, à tout prix, éviter la soie pour le masculin. Si l'absent est femme, il n'y a pas de honte à choisir un tissu soyeux.

— Et la couleur ? Vous qui avez l'air sage...

— Il n'est de Sages que Dieu et son Prophète. On peut enterrer nos morts dans les linceuls roses, verts ou noirs, mais comme Mohamed préférait le blanc, suivons sa préférence !

—Vous n'êtes pas un sage, vous êtes un renégat.

—....

J'étais en train d'admirer le sol du tribunal, ses murs, ses faïences et ses mosaïques. Admirer le génie des hommes qui avaient su élever une telle splendeur, tout en écoutant des histoires sans queue ni tête. Le châouche cria mon nom et le nom de celle que le mauvais destin avait mise en travers du chemin de ma vie.

— Driss R. et Nabila K. sont priés d'entrer chez notre honorable et loyal juge, Monsieur Ahmed Ben Arka.

Je vis mon beau-père se détacher du bloc des hommes et mon épouse de celui des femmes. Cela faisait deux ans et huit mois que je n'avais pas vu Nabila. Elle avait beaucoup maigri et des cernes s'étaient creusées sous ses beaux yeux noirs. Elle n'avait pas le courage de me regarder en face. Elle ne pouvait pas avancer non plus.

Elle était debout parmi des femmes assises, qui la regardaient comme si c'était une statue et s'apitoyaient sur son sort. Pauvre fille ! Elle va être répudiée dans la fleur de l'âge. Dans quel siècle maudit vivons-nous ! Plus de pudeur, plus de hachma, plus de respect. Quelle jeunesse irresponsable ! Les hommes du dernier temps.

Je ne saurais décrire ce qui m'arrivait. Je ne pouvais pas bouger. J'étais comme attaché par de grosses chaînes. En face de moi, Nabila, figée, pleurant à chaudes larmes, son père, les mains derrière le dos, abattu comme un chien affamé chassé par son maître, et le châouche criant mon nom de plus en plus fort.

Et si je me levais et avançais vers ce portier mal habillé, qui allait me traiter de sourd et m'introduire chez l'honorable juge au visage lisse et à la djellaba blanche ? Je ne saurais quoi lui dire. Ni à lui, ni à Nabila, ni à son malheureux père.

Sans m'inquiéter des conséquences, immédiates ou lointaines, je bondis comme un macaque des forêts de l'Atlas et me retrouvai hors du tribunal. La vieille ville, sûrement plusieurs fois millénaire, s'agitait encore. Les couleurs, les odeurs, les bruits et les cris me devinrent désagréables. Des nausées me soulevèrent le cœur et des sueurs m'inondèrent de la tête aux pieds. Je voulais fuir, quitter cet endroit maudit, mais je n'apercevais pas d'issue tellement les rues, les ruelles, les échoppes, les objets et les visages se ressemblaient. Je voulais sortir de ma poche mon mouchoir pour essuyer les gouttes qui déjà perlaient sur mon front et mon visage, quand mes doigts rencontrèrent la bourse noire qui contenait la dent d'hyène. Je voulus m'en débarrasser discrètement. Mais, comme rien ne peut être discret dans ce pays, à peine l'avais-je lâchée qu'elle fut saisie par un gamin qui cria, fort, très fort sa joie. Il imaginait sans doute que la bourse contenait un petit trésor.

Un trésor qui peut-être ferait son bonheur.

JOUR DE COLÈRE

Soumya Zahy

Mes parents sont arrivés juste à l'heure du déjeuner. Le samedi, nous avons du poulet, parfois du poisson au four. Aujourd'hui, c'est samedi. La table est mise, il manque juste le pain que mon frère va chercher, tout chaud, à la boulangerie. Nous demandons à maman si la maison a bien poussé, cette semaine. Comme tous les samedis, papa et maman sont allés surveiller les travaux du pavillon qu'ils font construire, en banlieue. Il y aura trois chambres, un grand salon, une belle cuisine et surtout un jardin. Ma sœur dit que, le mieux, ce sont les toilettes : deux dans la maison, et une dehors. Faut dire qu'elle a toujours envie de faire pipi. On est cinq enfants, alors parfois, c'est la queue à la porte des cabinets !

Moi, ce qui me laisse rêveuse, ce sont toutes ces chambres. Ici, dans cet appartement, nous dormons tous les cinq dans la salle à manger. Enfin, salle à manger, à dormir, à travailler, tout, quoi. Il y a une grande table avec des chaises, et, de chaque côté de la table, des lits-tiroir. C'est papa qui les a faits. Il a copié sur un magazine. Il y a aussi un petit lit cage, pour le bébé. La nuit, c'est très pratique. On met les chaises sur la table, on tire les tiroirs, et ça fait quatre places pèpères pour se coucher. Mais la mieux, c'est la bonne. Elle dort sous la table, sur un matelas qu'elle range, le matin, derrière la porte. C'est elle qui a le plus d'espace, parce que, faut le reconnaître, les lits sont quand même super étroits. Papa, il a calculé exactement la place. Il les a construits comme ça parce que, sinon, on ne pouvait pas garder la belle table.

Mon frère est revenu tout excité. Il a rapporté trois baguettes, au lieu des quatre habituelles. Il dit qu'il n'avait pas assez d'argent, que le pain a augmenté, et que les gens, dans la boulangerie, ils arrêtaient pas de râler. Maman est devenue toute blanche. Elle n'a pas parlé, depuis qu'elle est arrivée. Elle attend peut-être un petit frère, ou une petite sœur. C'est toujours comme ça que ça se passe. Elle ne parle plus, elle devient toute pâle, elle tombe dans les pommes. Après, papa nous dit qu'on va avoir un nouveau bébé. Alors, je m'interroge. Je vais essayer d'avoir l'air contente, même si je me demande où est-ce qu'on pourra mettre un autre lit. Mais papa ne dit rien. Il lui prend la main, et la fait asseoir sur une chaise. Il va dans le couloir, pour téléphoner. Je le suis. Mais il m'expédie dans la cuisine. C'est pas grave. On entend tout, de la cuisine. Il parle fort, d'abord, et je comprends qu'il a appelé ma grand-mère. Normal, c'est elle qui nous élève jusqu'à ce qu'on ait un an. Après, on réintègre la maison. Alors il doit lui annoncer, pour le nouveau bébé. Mais il chuchote, tout à coup. Je tends l'oreille, je ne respire plus. Il s'énerve, oublie de chuchoter, et je comprends quelques mots : «Je te dis qu'ils manifestaient calmement, et que la police s'est ruée sur eux. Un flic a matraqué ce garçon, juste devant la voiture. Il avait la tête couverte de sang, je crois qu'il...» Mon père me voit sortir de la cuisine, il baisse la voix. Il écoute, puis il raccroche. Maman a bu un grand verre d'eau. Elle a l'air d'aller mieux. Ils se regardent, tous les deux, et sortent sur le balcon.

Ça veut dire qu'ils vont décider quelque chose. Chez nous, c'est trop petit, et aucune porte ne ferme. Quand ils veulent être seuls pour discuter, les parents sortent toujours sur le balcon. Sur la table, le poisson refroidit, et moi, je n'ai plus faim. Le bébé a mangé, il dort dans son petit lit. Mes sœurs jouent, par terre, avec une poupée sans cheveux. La bonne a allumé la télévision. C'est drôle, à cette heure-ci, d'habitude, il y a un feuilleton. Là, on passe des chansons patriotiques. Ce n'est pas jour de fête nationale, pourtant. Les parents reviennent. Ils disent qu'il se passe quelque chose, et qu'on va aller chez ma grand-mère. Maman demande à la bonne de couvrir le poisson, elle dit qu'on va l'emporter. Elle enveloppe le bébé endormi dans une couverture. Mon frère demande pourquoi il faut partir, et s'il peut prendre son ballon. Pas de ballon, a dit papa.

On descend les escaliers en se poursuivant, comme d'habitude. Les parents demandent en grognant de faire moins de bruit. Dehors, c'est à n'y rien comprendre. La rue est vide, complètement vide, et tous les magasins sont fermés. Maman court presque jusqu'à la voiture, le bébé dans les bras. Papa ouvre le coffre, il y met le pain, le poisson, deux boîtes de sucre et une bouteille d'huile. On s'installe, et il démarre en trombe, comme dans *Hawaï police d'état*. On prend le boulevard qui longe la mer. On est tout seuls. À 3 heures de l'après-midi, un samedi, on est tout seuls dans les rues du centre-ville. C'est incroyable. Maman dit qu'elle s'y attendait, avec ces histoires de FMI, et de mesures d'austérité. Mon frère ouvre de grands yeux, et demande ce que c'est le feumi. Moi, je sais. Le FMI, c'est comme une banque, qui prête de l'argent aux pays pauvres. Nous, on est un pays pauvre, alors le FMI, il nous a prêté de l'argent. Et pour rembourser, il faut économiser. Papa dit que c'est pour ça que le pain a augmenté. Ça, je ne comprends pas très bien. Ce que je sais, par contre, c'est que le salaire des parents n'a pas augmenté, et que eux aussi ils doivent rembourser, pour la nouvelle maison en banlieue.

On arrive chez ma grand-mère. Ici, il y a du monde, dans la rue, et même plus que d'habitude. Dans le quartier de ma grand-mère, les portes des maisons ne sont jamais fermées. Les femmes mettent juste un rideau devant la porte, pour pas qu'on voit ce qui se passe à l'intérieur. Quand on arrive chez quelqu'un, on frappe dans ses mains, et on rentre. C'est pas poli de rester devant la porte. Ma grand-mère a une belle maison, avec plein de pièces, et une grande terrasse au soleil. En montant sur un mur, on peut même voir la mer. Maman trouve que c'est bien que ma grand-mère habite un quartier populaire. Elle dit que ça nous donne le sens des réalités. Nous, notre quartier, c'est le centre-ville, là où il y a toutes les boutiques de mode. Chez nous, on lave les trottoirs tous les soirs. Ils avaient même mis des poubelles. Toutes rondes, elles étaient en plastique blanc assorties aux lampadaires. Régulièrement, elles prenaient feu. Les hommes jetaient des mégots allumés. C'était bien, ça faisait du spectacle, avec tous les pompiers qui venaient. Comme ils en avaient marre d'être dérangés par des feux de poubelle, on a installé des jolis paniers en osier avec du sable, pour les mégots. Au bout de trois jours, y en n'avait plus un seul. C'est normal, ils étaient trop jolis, c'était tentant. Et les poubelles ont recommencé à brûler. On les a enlevées, c'était plus simple !

Chez ma grand-mère, on n'a jamais mis de poubelles dans la rue. C'est pas grave. C'est déjà tellement sale qu'on peut jeter par terre, ça se voit pas. Tiens, mon oncle est là, devant la porte, avec ses copains. Il fait beau, il devrait être à la plage. Je suis allée avec lui, à la plage, un jour. On avait préparé un pique-nique très chic : du poulet froid. La viande était un peu dure. Tonton a dit que c'est parce que le copain qui l'avait fait cuire avait plumé le poulet vivant. On l'a mangé quand même. Après le repas, mon oncle et ses copains ont allumé de drôles de petites cigarettes, qui puaient un peu, et je suis allée me promener toute seule sur les rochers. En cherchant des crabes, je suis tombée dans un trou d'eau, j'ai failli me noyer. Je ne savais pas encore bien nager. Ça, je l'ai jamais raconté. Déjà que ma grand-mère trouvait que c'était pas bien, pour une fille, d'aller toute seule avec une bande de garçons à la mer, j'allais pas me griller en me plaignant. Mon oncle, il aime bien quand je sors avec lui, il joue au papa. Il rigole tout le temps. Là, il a pas l'air de trop se fendre la gueule.

C'est bizarre qu'il soit juste devant la porte de la maison. D'habitude, la bande se réunit plutôt sur le terrain vague au bout de la rue, le bureau, comme ils l'appellent. Mais, le plus bizarre, c'est quand papa descend de voiture et va lui parler, à lui et à ses potes. Papa ne parle jamais aux amis de mon oncle, juste bonjour, comme ça, en passant. C'est normal, c'est pas la même génération. Mais, aujourd'hui, il reste avec eux tandis que maman et nous, nous entrons dans la maison de grand-mère. Maman dit qu'en parlant avec les jeunes, papa prend la température du quartier. Pourquoi, le quartier a la fièvre ? Décidément, il se passe des choses curieuses, aujourd'hui.

Chez grand-mère aussi, personne n'a déjeuné. Ma tante est là, avec son mari et ses enfants. En fait, elle habite juste en face, alors elle n'a qu'à traverser la rue. Maman dit que sa sœur a du mal à couper le cordon ombilical. Moi, je trouve ça plutôt bien. C'est toujours plein d'enfants, chez ma grand-mère, et ça chahute fort. On a même un zoo. Enfin, presque. Sur la terrasse, il y a un mouton, des perruches dans une cage, une chatte, une tortue, un petit chiot tout noir et deux hérissons. Ceux-là, ils datent de l'époque où ma tante ne pouvait pas avoir d'enfants. On lui a conseillé de manger en ragoût de la chair de hérisson. Comme on ne lui avait pas précisé si ça devait être un mâle ou une femelle, elle a acheté les deux. Sous leur carapace d'épines, c'est maigre, ces petites bêtes-là, il fallait les engraisser. Entre-temps, elle est tombée enceinte. Tant mieux pour les hérissons.

Ma grand-mère a servi le déjeuner, on laisse tomber la ménagerie pour s'installer à notre table, la table des enfants. Je suis l'aînée, je dois veiller au partage équitable de la viande et des pommes de terre. Ce qui est bien, avec grand-mère, c'est qu'on n'a pas de surprise, pour le menu. Viande, pomme de terre et carottes; viande, pommes de terre et petits pois; viande, pommes de terre et courgettes; et même une fois viande, pommes de terre et potiron. Maman dit que ce n'est pas très équilibré pour les enfants, car on prend toujours les patates. Là, comme il n'y a que trois baguettes pour 14 personnes, ça tombe bien. Les trois baguettes, ce sont celles que mon frère avait achetées pour nous. Papa a pensé à les prendre, et c'est pas plus mal. Ma grand-mère, qui fait son pain à la maison, n'a pas pu pétrir, ce matin, faute de farine. Ici aussi, les épiceries ont fermé. Les grands parlent entre eux, même la fiancée de mon oncle qui, d'habitude, est très timide.

Elle est en terminale, au lycée voisin, et n'a pas eu cours ce matin. Les garçons de sa classe avaient rapporté un journal, et l'avaient fait lire à tout le monde. Il était écrit qu'il y aurait des augmentations du prix de tout. Comment ils savaient ça, les gens du journal ? Il paraît que les garçons se sont mis en colère, et les profs aussi. Au lieu d'entrer dans les classes, ils sont restés dans la cour, à crier. Le directeur, qui n'aime pas les problèmes, a renvoyé les élèves chez eux. C'est embêtant, dit la fiancée, parce que le programme n'est pas terminé et que le bac est dans trois semaines. En fait, elle s'en fiche un peu, parce que elle, de toute façon, elle se marie. Mon oncle est employé de banque, alors elle n'est pas obligée de faire des études et de travailler. Maman dit que les filles de ce milieu-là, tout ce qu'elles attendent, c'est le mariage. Moi, je crois que c'est pareil dans tous les milieux. Ma cousine du côté paternel, par exemple. Elle a deux ans de moins que moi, ses parents ont une belle maison avec plein de chambres, mais ma tante lui prépare déjà son trousseau. Elle aussi, elle ne pense qu'à marier sa fille. La fiancée de mon oncle, elle n'a même pas de trousseau, et d'abord elle vit chez ma grand-mère. Elle vient d'une ville si petite qu'il n'y a pas de lycée, alors elle étudie ici. C'est mon oncle qui l'a ramenée. Il l'aime, il veut l'épouser. Elle aussi, elle l'aime. C'est beau. Elle aide beaucoup ma grand-mère pour tenir la maison, elle fait très bien le ménage et la cuisine. C'est important, pour une fille. Au lycée, ça marche pas très bien, pour elle. Mais si ça se trouve, comme elle dit, il n'y aura pas d'examens, cette année. L'université est en grève depuis un mois, et les étudiants parlent d'année blanche.

Mais, c'est quoi, ce bruit, dans la rue ? On entend des cris, des gens qui courent. Les grands se précipitent aux fenêtres. Nous, les enfants, on monte à toute vitesse sur la terrasse. Ma petite sœur veut voir ce qui se passe, je la porte. En bas, c'est l'effervescence. Il y a des hommes, des adolescents partout. Ça hurle, ça gesticule. On dirait que certains se battent. Non, ils se donnent des claques dans le dos, comme pour s'encourager avant un match de foot. Un car de police passe très vite à l'angle du carrefour. Un gamin lance une pierre dans sa direction. Il ne se fait même pas engueuler. Un garçon, je crois que c'est le fils de la marchande de légumes, s'avance. Il lève bien haut un cahier rouge. Rouge. Et les hommes marchent derrière lui. Une mère, affolée, court après son fils. Elle le tire par le bras, elle le gifle et le pousse dans sa maison. J'entends une clameur, de l'autre côté. Je pose ma sœur. Mon frère est déjà sur le mur. Je grimpe. Du mur, on voit la mer. Et le boulevard qui longe le port. Et des gens. Sur le boulevard, il y a des milliards de gens. Je n'ai jamais vu autant de gens marcher comme ça. Papa arrive en courant. Descendez, vite, il crie aussi. On retourne dans la maison. Grand-mère a tiré les volets. Tout le monde est assis, muet. Le bébé se réveille, pleure. On entend le bruit d'un hélicoptère. Papa fait un geste vers la fenêtre. Maman le regarde, il se rasseoit. Encore un hélicoptère. Et puis un autre. Le mari de ma tante allume la télévision. Chants patriotiques. Mes sœurs et mes cousins vont dans la chambre de grand-mère, pour jouer. J'aide la fiancée à laver la vaisselle. Il n'y a plus de pain. Elle prépare des galettes de son. Je n'aime pas ça.

Le mari de ma tante dit qu'il va aller chercher de la farine, ou du pain. Il s'en va. Ma tante a peur. Mais elle ne veut pas trop le montrer. On attend. Il fait déjà presque nuit. Le mari de ma tante revient. Il voulait aller au centre-ville. Impossible. L'armée bloque le passage. Dans le centre-ville, il y a la banque d'État, la préfecture, le tribunal, les magasins chics, et notre appartement. Les parents se regardent.

On ne rentrera pas chez nous, ce soir.

On ne rentrera peut-être plus jamais chez nous.

LA CHIENNE DE TAZMAMART

Abdelhak Serhane

«Nul ne sera soumis à la torture, ni à des peines et traitements cruels, inhumains ou dégradants.»
(Article 5 de la *Déclaration Universelle des Droits de l'Homme.*)

Fixer ce plafond en pensant à mille choses à la fois. Un plafond raide, sans aucune vibration ni épaisseur. Plat comme le ventre d'une blatte stérile d'Amérique. Rien à en tirer. L'air fat, cette surface demeurait étrangement ésotérique devant mon embarras. L'expression même d'un flegme désespérant. Il ne fallait pas insister. Ou alors faire preuve de beaucoup d'imagination. Dans ma position, j'étais incapable de faire preuve d'imagination alors même que j'étais contrainte de composer avec cet espace qui ne me renvoyait que mutisme, indifférence, et qui exerçait sur moi une étrange fascination mêlée de curiosité et de désarroi. Les yeux dans les yeux. À nous regarder en chiens de faïence. Avais-je le choix ? Échapper à la mascarade le plus vite possible. Abandonner ce plafond à son histoire et me concentrer sur la mienne. Mais quelle histoire ? Avais-je quelque histoire à raconter ? Je devais juste déballer mon amertume devant ce type bien fait qui n'avait connu que le luxe des nantis et la clémence du ciel.

— Remontez encore plus loin dans votre passé !

Les hochements de sa tête dégarnie m'amusaient et je me disais que ces séances n'étaient pas dépourvues d'un certain plaisir loufoque. Son vouvoiement n'avait d'égal que le ridicule de notre situation. Moi allongée comme une momie, les yeux fixés sur ce plafond amorphe, et lui assis sur sa chaise en prenant l'air de quelqu'un qui s'attend à une véritable catastrophe. Comprenait-il ce que je lui racontais dans cette langue qu'il ne comprenait pas, qu'il n'avait étudiée dans aucune école, dans aucun livre ? Qui se moquait de l'autre ? Car, en fin de compte, la communication est un problème de langue. Et la langue un problème de culture. Et la culture est un problème de… Je n'en savais strictement rien. Et je m'en foutais de ces discussions humaines qui ne mènent nulle part. Pour le moment, j'étais obsédée par la surface terne de ce plafond bas, passée au blanc mat. Intriguée également par les murs rose bonbon qui faisaient penser à une boîte à poupée. Je n'aimais pas cet endroit. Je ne l'avais jamais aimé. Je n'aimais pas non plus cet homme qui prenait des notes sur son grand cahier en faisant semblant de m'écouter et de s'intéresser à mon destin.

— Remontez encore plus loin dans votre passé !

Mon passé ? Quel passé ? En avais-je un ? Il fallait, coûte que coûte, que je sorte de ce pétrin dans lequel je me trouvais. Où l'on m'avait enfoncée jusqu'au cou. Que dire à ce petit individu bien intentionné ? Que j'étais quelqu'un de bien avant d'échouer sur cette terre de misère et de contradictions ! Que je ne fais pas partie de son monde à lui ! Que je suis d'une autre race, d'une autre religion ! Mais puisqu'il tenait à m'écouter jusqu'au bout, je lui en mettrais plein la vue. À moins de me rétracter. Ne pas lui donner cette satisfaction. Aller répéter par la suite qu'il m'avait consacré tout son temps et que c'était grâce à lui que je m'en étais sortie. Non ! J'allais montrer à ce type que j'étais capable de m'en sortir toute seule. Vivre tout ce que j'avais enduré pour finir entre les mains d'un petit parisien qui n'avait jamais connu l'arbitraire ni vu l'injustice. Je n'étais pas n'importe qui pour subir cette humiliation. Qui leur avait dit que j'étais malade ? J'avais toute ma tête et ce toubib de la fin de la nuit ne pouvait en aucun cas comprendre ce que je lui dirais. Alors, il valait mieux qu'on s'en tienne là. Malade, avaient-ils dit. Si ça pouvait leur faire plaisir ou leur permettre d'être en règle avec leur conscience petite bourgeoise. Ils ne savaient rien de moi, ni de mon passé, ni de mes rêves, ni de mes espoirs. Et du jour au lendemain, ils avaient décrété que j'étais leur chose et m'avaient placée d'autorité sur le divan de ce psychanalyste en mal de sensations fortes et de secrets. Dès qu'il m'avait vue arriver, il avait souri comme un imbécile. Il ignorait à qui il avait affaire. Et il ne savait pas que le moment était mal choisi pour qu'on m'inflige une telle épreuve. Tous les mêmes. Et dire que Dieu s'acharnait encore à justifier son erreur. La race la plus ignoble. La plus à plaindre d'entre toutes. La race humaine. Cette farce pétrie d'orgueil comme une mauvaise plaisanterie. L'humanité ! De quelle humanité s'agit-il ? Je n'étais pas prête d'oublier ses crimes et ses horreurs. Au nom de quoi ? Du droit. De la légalité. De la justice... Laissez-moi rire ! L'humanité est un gros baril plein de crasse, de merde, de dynamite, de bassesse, de... Parler de cette humanité-là revient à parler des égouts des villes sous-développées. Avez-vous déjà vu les égouts d'une ville sous-développée ? Alors taisez-vous ! Vous avez de la chance que je ne sois pas Dieu. Je vous aurais effacés de la surface de la planète. Pouvez-vous nier que vous êtes des assassins, des pollueurs, des menteurs, des corrompus, des minables, des parasites, des ruffians attitrés, des sous-fifres... À quoi bon vous répéter ce que vous savez déjà !...

— Remontez plus loin dans votre passé !

Finirait-il par me foutre la paix ? À dire vrai, j'avais trouvé une bonne planque dans cette clinique depuis que l'un de mes compagnons avait eu l'idée de m'emmener avec lui pour expliquer à l'Étranger que dans ce pays on n'épargnait rien ni personne. Liberté provisoire pour tous. Pourquoi me presser ? Un lieu de repos. Il suffisait juste de comprendre l'astuce pour ne pas tomber dans le piège de ce toubib bien astiqué. J'avais compris dès le début ses intentions. Lui, il n'avait rien compris du tout. Il voulait me traiter comme si j'étais quelqu'un d'ordinaire. Je ne suis pas quelqu'un d'ordinaire. Et il se trompait sur toute la ligne. Je n'étais pas quelqu'un d'ordinaire. Je ne suis pas quelqu'un d'ordinaire. Ne me demandez surtout pas pourquoi j'emploie le présent ici, à cet endroit précis. Toute mon existence est un présent qui n'en finit pas de se propulser dans le passé et dans l'avenir, qui n'arrête pas de se cogner contre les murs et le silence des murs. Comment pouvait-il en être autrement alors que mes trois temps à moi n'en font qu'un. Vous pouvez m'expliquer cela ? Non ! Vous n'avez jamais rien su expliquer de manière objective. Alors continuez à vous taire et foutez-moi la paix ! C'est tout ce que je vous demande. Et si ça me plaît de m'adresser à ce foutu toubib au présent, c'est pas vous qui allez m'en empêcher. Quelle catastrophe ! Dès que je m'adresse à vous, je perds le charme de la finesse linguistique et commence à planer au ras des pâquerettes. Qu'ai-je bien pu faire pour mériter une telle infortune ? Dieu est sûrement derrière ce coup. Forcément, il est derrière tous les coups. Je ne lui en veux pas. J'aimerais juste qu'il m'explique pourquoi les uns sont riches, heureux alors que d'autres pataugent dans la boue du matin au soir. Déjà, physiquement, il y a la preuve d'une grande discrimination. Les nègres, les bossus, les nains, les laids, les malades, les chauves, les borgnes, les gros, les fils barbelés, les crépus... Bien sûr qu'il faut de tout pour faire un monde. Comme si ce monde ne pouvait pas se faire sur l'égalité et la justice. Et on s'en prend aux humains. À l'image de... À l'image de quoi ? Foutez-moi la paix ! Je suis fatiguée et j'ai la nausée. Savez-vous ce que c'est que d'être fatiguée ? Je ne parle pas de cette petite fatigue après le travail ou les courses. Non ! Je vous parle de cette fatigue de soi. Celle qui dépasse l'entendement. Qui dépasse toute limite. La fatigue de soi...

— Remontez plus loin dans votre passé !

Plus loin. Toujours plus loin. Pour aller où ? Et pourquoi faire ? Ne sait-il pas que mon existence s'est arrêtée ce jour fatal, dans cette prison ignoble où l'être humain est moins considéré qu'une mouche bleue prise dans la fétidité d'une peau de mouton en décomposition. Remonter le cours de l'histoire. De l'enfance. Interroger le passé. Mes parents disparaissent dans le brouhaha de Jamâa Lafna. Je ne me rappelle plus rien. Des cris. Des lamentations. Des pleurs. Puis, plus rien. Je me suis retrouvée dans un bidonville sans eau et sans électricité. Les gamins pataugent dans la boue matin et soir. Les femmes médisent les unes des autres et les vieillards fument du kif ou jouent aux dames. Ceux qui travaillent partent à l'aube et ne reviennent qu'une fois la nuit tombée. Un trafic monstre fait le bonheur des jeunes. Traite des blanches, drogue, prostitution, recel... Les plus téméraires ou les plus désespérés ramassent un petit pactole pour un aller simple vers l'Europe. Les pateras déversent des corps humains. La Méditerranée dégueule des cadavres. Le rêve s'arrête très vite. Entre deux vagues et les gardes des côtes espagnoles. L'échec de tout un pays. Et cet imbécile me demande de remonter plus loin dans mon passé. Mon passé est dans le présent. Celui de tous ces jeunes qui meurent en portant avec eux le secret de leur douleur et de leur désespérance.

— Remontez plus loin dans votre passé !

Et ce passé, est-il loin ? Ou ne l'est-il pas assez ? Le plafond gardait son attitude inexpressive comme pour narguer mon obsession. J'allais devoir trouver un autre repère. Ce plafond m'exaspérait et je ne voulais pas me laisser aller à des actes irréfléchis devant ce toubib qui a mal réglé son complexe œdipien. Comment je le sais ? Je le sais et c'est tout. Je ne vous demande pas pourquoi vous vous intéressez à mon cas. Alors foutez-moi la paix et occupez-vous de ce qui vous regarde ! Cette situation m'est d'un inconfort pas possible. Et je n'avais demandé à personne de prendre soin de moi. Quelles associations ? Je n'étais pas disposée à collaborer avec n'importe qui. Tout le monde a ses problèmes. Moi, comme les autres. Comme si j'étais un extraterrestre ou une espèce rare. Le plafond me fixa de son regard mauvais. Se doutait-il de quelque chose ? Savait-il qui j'étais et ce que j'avais enduré ? Je fermai les yeux un moment pour échapper à ce regard poignant et quand je les rouvris le plafond avait retrouvé son attitude réservée.

— Remontez plus loin dans votre passé !

Qui suis-je ? C'est la question à laquelle je devais répondre depuis le début. Hors sujet me direz-vous. J'insiste trop sur les détails sans importance et je fais traîner le récit. Si vous n'avez pas la patience de suivre pas à pas mes élucubrations, vous n'avez qu'à aller vous coucher. Je ne sais pas vraiment qui je suis parce que je ne suis pas dans un univers qui est le mien. Qui suis-je alors si je ne suis pas dans mon élément ? Et vous voulez que je me comporte comme vous, que je réagisse comme vous, que je raisonne comme vous. Quelle méprise ! Ma vie s'arrête dans cette prison. J'y suis toujours d'ailleurs. Arriverai-je un jour à dépasser ce blocage ? Je vivais, comme pouvaient vivre les chiens dans ce pays. Une véritable vie de chien. Un cauchemar, quoi. Imaginez un animal battu en Europe ! Imaginez un chat abandonné ou un chien délaissé ! Je ne parle pas des immigrés et des Noirs. Je vous parle de vraies bêtes inscrites à la sécurité sociale et vaccinées contre toutes les maladies. Je ne sais même pas pourquoi j'aborde ce sujet. Peut-être étais-je sensible à ce documentaire de TV5 sur les animaux milliardaires. À moins que ça soit sur Arte. Je regarde beaucoup la télé depuis que j'ai été libérée. Mes commanditaires disent que ça détend et que ça cultive. Je veux bien les croire.

— Remontez plus loin dans votre passé !

Je ne sais plus qui je suis ni ce que je fais dans cet endroit. Mais puisque vous insistez pour que je vous raconte ma vie, je vais le faire. JE suis une chienne. Aussi loin que je remonte dans mon passé, je suis une chienne. Une véritable chienne qui a connu toutes les misères humaines. Vous voulez que je m'explique ! Je vais le faire. Mais d'ores et déjà, je vous dis que toute ma vie s'arrête dans cette prison. Êtes-vous sûrs de vouloir aller avec moi jusqu'au bout de mon récit ? C'est intéressant, dîtes-vous. Vous voulez que le monde entier apprenne ce que j'ai enduré là-bas. Soit ! Mais ne venez pas me bassiner ensuite avec vos discours sur la diplomatie et les relations internationales ! Ma vie est consignée sur les murs de cette prison.

Le plafond me jeta une fois de plus son regard mauvais et j'imaginai son intention. Il ne fallait surtout pas qu'il devine mon trouble. Je ne savais pas à quoi il jouait. Ni à quoi je jouais dans cet endroit que j'avais détesté dès le premier moment où j'y avais mis les pieds. Cet homme m'exaspérait avec ses questions débiles et son air protocolaire. Comprenait-il quelque chose ? J'en doute.

— Remontez plus loin dans votre passé !

Les murs de mon cachot étaient mangés par l'humidité. Je devais subir le même régime que les autres. Pas de sortie. Pas de lumière. Pas de soleil. Là, nous n'avions aucune notion du temps. Le jour et la nuit n'avaient plus aucune différence puisque nos tortionnaires avaient décidé de faire de nos jours des nuits sans fin. Je ne savais pas et je ne comprenais pas ce que je faisais parmi ces gens. Entre ceux qui étaient encore là, ceux qu'on avait enterrés au fond de la cour dans des tombes invisibles et moi, y avait-il une grande différence ? Je voulais le croire pour rendre mon incarcération moins douloureuse. Cellule de deux mètres sur trois. Et ce macaque qui me demande de remonter plus loin dans mon passé. Quel passé ? Le temps s'était arrêté pour moi au moment même où j'avais franchi le seuil de cette cellule obscure, aux murs épais. Je fus vite prise de nausée. Dans un coin, le trou des toilettes dégageait une puanteur asphyxiante. Une odeur qui vous prend comme un couteau à la gorge et vous irrite les yeux. Remonter plus loin dans mon passé ! Un passé sans lumière et sans soleil. Enterrée vivante... J'étais enterrée vivante ! Je ne pouvais pas imaginer que l'être humain était capable de tant de cruauté pour enfermer d'autres êtres humains dans ce mouroir. Remonter plus loin dans mon passé ! Il y avait un trou dans le plafond mais la lumière ne pénétrait pas. À cause d'un double toit de tôle ondulée. À droite de la porte, dix-sept orifices ronds pratiqués dans le mur donnant sur le couloir et alignés sur trois rangées dans le sens de la longueur. Six trous en haut, six trous en bas et cinq au milieu empêchaient la suffocation immédiate. Le couloir s'éclairait trois fois par jour au moment des repas. Quatre à cinq minutes. Un filet de lumière passait par les trous le temps de nous servir leurs cinq litres d'eau polluée par jour, leurs deux cents cinquante grammes de pain au gasoil, leurs lentilles aux cailloux, leurs pois chiches jamais assez cuits, leur riz toujours mal préparé, leur soupe à l'eau...

— Remontez plus loin dans votre passé !

J'y suis, en plein dedans. Mon passé ? La crasse et la nausée. Le froid aussi. Il s'était installé dans l'os une fois pour toutes. Moins cinq degrés dans les cellules avec deux couvertures pour chacun de nous. L'une pour se couvrir et l'autre à étaler sur la banquette en béton. Le sol était recouvert de gravats et l'humidité régnait. Les moustiques, les punaises, les cafards, les scorpions... étaient maîtres des lieux. Cinq litres d'eau par jour pour tous les besoins. À quoi je rêvais ? À la lumière et au soleil. Le soleil et la lumière de Dieu. Priver des êtres de soleil et de lumière ! D'emblée, le froid avait pris possession des corps. Jamais lavés, non renouvelés, les vêtements tombaient en lambeaux sur le dos des hommes. Le gravat lacérait la plante des pieds. L'humidité, la faim, la saleté, les maladies, les faiblesses physiques... faisaient le reste dans le corps et la tête. Destruction. Déstabilisation. Brisure. Frustration. Délire. Phobies. Souffrances. Chaque jour était un jour de plus vers la mort. Et chaque jour la mort frappait dans le silence et l'anonymat. Attendre que la mort survienne, à n'importe quel moment du jour ou de la nuit. Être là pour attendre la mort. Rien d'autre que la mort. Alors le temps n'avait plus d'importance. Le temps de mourir. Seul ce temps comptait, avait de la consistance. Le temps de la vie et de l'espoir s'était arrêté dès les premiers mois. Au bout d'une année, deux, trois... Le temps de la mort avait pris possession des corps, des têtes et des murs ruisselant d'humidité de cette bâtisse de la honte. Je ne voulais pas verser dans le désespoir. La folie guettait à tout instant. De l'autre côté de la vie, des fiancées, des enfants, des épouses enceintes, des parents, des amis quittés sur le seuil d'une porte, à la terrasse d'un café, à un bar, à l'entrée d'une école ou dans une clinique. Puis, plus rien. Entre la vie et la mort, ce lieu innommable. L'espoir même devenait une torture. Seul l'espoir d'une mort proche et rapide pouvait soulager le poids du désespoir !...

— Remontez plus loin dans votre passé !

Les bruits et les cris… C'était fou. L'horreur au quotidien quand le quotidien se transforme en enfer terrestre. Chaque gémissement creusait une nouvelle tombe dans la tête des hommes. Les injures grossières, les humiliations et les coups des gardiens… Enterrés vivants. Là où la vie n'avait en fait aucun sens sinon celui de la mort. Les cris des hiboux, des chouettes et des corbeaux accompagnaient l'agonie puis l'enterrement de ceux qui arrivaient au terme de leur voyage, remplissaient leur contrat avec la mort. Le bâtiment II. Lieu de prédilection de la mort. Cadavres enroulés dans des couvertures nauséabondes puis jetés dans des trous creusés à la hâte. Sans sépulture ni prière. Des corps badigeonnés de chaux. Mon passé ! Puis celui des autres. Voyage interminable dans les souffrances et les maladies. Phobies, folie, tuberculose, diarrhées, nausées, constipation, peur, convulsions, rhumatisme, paralysie, cécité, surdité, eczémas, dépressions, panique, rages de dent…

— Remontez plus loin dans votre passé !

Ne pas savoir où l'on se trouve, qui on est, ce qui se passe, ce qui va se passer… Être coupé du reste du monde. Puis arriver à annihiler cette notion. Ne plus considérer que le monde existe. Le monde s'arrête d'exister. Disparaît dans un tourbillon cauchemardesque. Le monde extérieur devient une idée abstraite, un mirage. Seule la réalité de la mort pouvant entretenir l'idée de la vie. Être avec soi-même. Face à soi minute après seconde. Seul. Quand la solitude peut durer dix-huit ans. Oublier le goût du rire et celui du baiser. Oublier le parfum des roses et celui des femmes. Se demander si le rêve fait encore partie de l'espoir. Ne plus savoir la limite qui sépare la vie de la mort. Arriver à considérer le temps comme une ultime souffrance. N'être plus habité que par le cauchemar et l'obscurité. Oublier à quoi ressemble un fruit ou le sourire d'une jeune fille. Oublier à quoi peut ressembler la branche d'un arbre ou la forme du soleil. Vivre dans la mort de tout. Dans la mort de soi. Vivre ! Survivre quand tous les sens s'effacent, quand la surdité et la cécité vous isolent encore plus. Pire qu'un film d'horreur américain...

— Remontez plus loin dans votre passé !

Ses yeux pétillèrent de curiosité. Le crayon lui échappa des doigts et roula sous le divan. Il ne quitta pas sa chaise pour aller le récupérer. Il tira un stylo de la poche de son veston et continua son manège. Je m'étais tue, intriguée par son acte manqué et par la platitude de ce plafond. Je ne voulais plus remonter loin dans mon passé. Je ne voulais plus remonter nulle part. À quoi servait ce jeu ? Comprenait-il ce que je racontais ? Je savais que je perdais mon temps et que les Instances Internationales voulaient exploiter mon cas pour discréditer ce pays qui vit toujours à l'heure des jardins secrets. Tant pis. Car Tazmamart a bel et bien existé.

J'avais parlé trop vite. Le plafond continuait à conserver son attitude flegmatique. Les murs ne s'intéressaient pas à mes élucubrations. Le toubib prenait des notes en suant à grosses gouttes. Je compris que le moment était pathétique et que sa sensibilité ne supporterait pas tant de cruauté. Lui qui n'avait jamais eu affaire qu'aux petites minettes des quartiers chics parisiens. Quel traumatisme ! À force de répéter cette histoire, j'avais peur qu'elle ne se transforme en mythe.

— Remontez dans votre passé !

Plus loin la haine. Puis le vide. Puis le mal dans tout le corps. Le froid lancinant qui déchire les entrailles et fait trembler les membres. Plus loin le vide d'amour, de chaleur, de vie... Rien que la haine. Connaissez-vous ce sentiment d'impuissance suprême face aux murs, au vide ? Imaginez une tombe et vous dedans. La vie et la mort n'ont plus de signification. La mort devient plus clémente puisque vivre dans la mort est quelque chose de terrible. Être en attente du seul train possible : celui de l'au-delà. Pour un aller simple. Le temps creuse les tempes, fouille la mémoire, retire le meilleur de ce qui a été, efface, détruit, remplace les instants de bonheur par des points d'interrogation et les points d'interrogation se transforment en haine, en cris de douleur, d'humiliation, d'impuissance, en démangeaisons, en gémissements, en diarrhées, en vomissements… Plus loin la haine. Puis l'oubli. Le vide. On oublie qui on est, qui on a été, ceux que nous avons laissés derrière nous, ce que nous sommes… Des bêtes humaines. Les dents se gâtent vite, s'effritent. Les racines restent pour réactiver la douleur. Les cheveux tombent sur les épaules. Les ongles poussent. Les dos se voûtent. La maladie attaque. La crasse fait le reste et transforme complètement l'image. Des bêtes qui rampent, qui chient dans leurs frocs, hurlent la nuit comme des loups, lapent la poussière des murs, souffrent et meurent dans l'indifférence des touristes qui passent à quelques centaines de mètres du Lieu, émerveillés par la beauté du site. Les touristes ignoraient qu'ils se trouvaient à proximité d'un fort où l'on avait pris rendez-vous avec la mort pour cinquante-neuf officiers et sous-officiers des Armées de Terre et de l'Air…

— Remontez plus loin dans votre passé !

Bizarre ! Mon nom ne figure sur aucune liste officielle. Ceci ne diminue en rien mon mérite. Le docteur, lui, le sait. Sinon, il ne m'aurait pas écoutée avec tant d'intérêt. Il n'aurait pas sué à grosses gouttes à mon récit. J'étais traumatisée. Il l'était autant que moi. Ceux qui l'avaient chargé de s'occuper de moi avaient certainement une idée derrière la tête. J'avais la mienne aussi. Un film ? Quelle idée ! Sûrement qu'ils donneraient le rôle à l'une de ces stars de Hollywood.

Moi, je ne suis qu'une prisonnière politique, pas actrice de cinéma. Chacun son métier. Je sais. Mais pourquoi mon nom ne figure sur aucune liste officielle ? Et pourtant, j'ai fait de la prison comme les autres. J'ai été enfermée dans les mêmes conditions épouvantables. Une erreur de l'histoire. Encore une. Même Laïka a droit aux honneurs. Son nom est entré dans l'histoire. Le mien ne sert que comme référence à la marge. Quel destin ! Un destin de chien. Et pourtant, je pensais qu'on s'occupait de moi pour ma bravoure, ma lutte, ma résistance… Non ! Juste pour les besoins de leur foutu film. Mais je ne leur vendrais pas les droits. Ils pourront toujours courir ! D'ailleurs, à partir d'aujourd'hui, je ne remettrais plus jamais les pieds dans ce cabinet psychiatrique. Je ne suis pas folle. Je ne suis même plus malade. Je sais que les notes prises par ce toubib mal intentionné serviront à l'écriture du scénario de mon film. Jamais je ne vendrai les droits. Sinon je m'adresserais à Amnesty International. Ce sera ma parole contre la leur. Je sais que je risque de perdre. J'aurai essayé et défendu mes droits. Pendant des années on m'a empêchée de réclamer mes droits. Ça suffit maintenant. Gare à celui qui se mettra sur mon chemin…

— Remontez plus loin dans votre passé !

Ce qui m'a sauvée ? Ce qui nous a sauvés ? Des petites choses. La solidarité. La discipline. Le respect de l'autre. De la souffrance de l'autre. De la mort de l'autre. Ceux qui savaient le Coran le récitaient à haute voix. Les autres répétaient et apprenaient ainsi ce que l'école n'avaient pas réussi à leur inculquer. Les hommes s'étaient mis ensuite à apprendre l'anglais et le français pour ceux qui ne le maîtrisaient pas. Chacun racontait ses souvenirs, parlait des siens, racontait un livre ou un film. Un transistor de mauvaise qualité avait fait son entrée dans le Bâtiment en échange d'une bague qui avait échappé à la fouille. À partir de cet instant, nous avions compris que le monde extérieur existait et que l'espoir était encore possible. Nous n'étions pas tout à fait morts, ni définitivement enterrés. Ces voix d'ailleurs nous aidaient à nous accrocher à la vie malgré la mort qui habitait déjà nos viscères et rôdaient jour et nuit comme l'hyène affamée dans les cellules.

— Remontez plus loin encore dans votre passé !

Des bouts de fil de fer. Confection de chaussettes et de gants avec les restes des couvertures laissées par les morts. Le froid. Pire que la mort. Les membres craquent. Les muscles durcissent. Le sang ralentit sa course dans les artères puis gicle hors du corps en un seul jet ininterrompu. S'imprime alors sur le mur le sang de la honte. Le sol en gravats boit le reste. Mais au-delà de la mort, il y avait la vie. L'espoir. Converser avec les autres à voix haute ou à voix basse. Inventer un langage codé qui échappe à la vigilance des gardiens. Récupérer les petits morceaux de graisse trouvés dans la nourriture. Les mettre de côté pour confectionner le corps d'une bougie. Un gardien soudoyé fournissait l'allumette. Jouer aux échecs aussi. Insolite. Deux joueurs avançaient leurs pions faits de pain rassis. Les noirs étaient teintés de café. Les deux antagonistes annonçaient à voix haute les déplacements de leurs figures et chaque détenu pouvait suivre la partie sur son propre jeu. Bricoler la vie pour repousser les limites de la mort. Se donner l'illusion que tout continue comme avant...

— Remontez plus loin dans votre passé !

Vous me faîtes chier avec cette injonction ! Vous ne savez rien dire d'autre ? Des jours que je vous raconte mes entrailles et vous n'avez que cette formule : «remontez plus loin dans votre passé !» J'en ai marre de jouer à ce jeu. Et puis, qui suis-je, moi, dans toute cette histoire, pour que vous vous acharniez sur moi ? Je ne figure même pas sur vos listes en tant que rescapée de Tazmamart. Mon histoire ne concerne personne d'autre que moi. Je ne raconte pas aux humains. Ceux-ci ne font pas partie de ma race. Je raconte pour la mémoire. C'est probablement sans espoir. Mais c'est toujours utile. Contre l'oubli. Contre la bêtise des hommes. Si j'ai appris à aboyer dans leur langue, à écouter leurs récits et leur mal dans ce lieu d'affres... je n'ai pas pour autant perdu ma dignité de bête. Car je suis une bête. Est-ce pour cette raison que mon nom ne figure pas sur les registres d'Amnesty International ni sur celles de la Fondation Johannes Wier pour la Santé et les Droits de l'Homme ? Je ne suis rien d'autre qu'une chienne...

— Remontez plus loin dans votre passé !

Aussi loin que je remonte dans mon passé, je me vois chienne. Chienne de père en fils. La cohue, des plaintes, des pleurs, des cris... puis plus rien. Un bidonville et des gamins qui pataugent dans la boue à longueur de journée. Je suis passée de familles en familles, de maisons en maisons, de villes en villes. Finalement j'ai atterri entre les mains du directeur de la prison. Il a décidé que j'étais une chienne de chasse. Je devais l'accompagner chaque dimanche. Et chaque dimanche, je devais me transformer en chienne de chasse. Chaque dimanche que Dieu faisait. Même lorsque la chasse était fermée. Il fallait ramener du gibier. Juste pour frimer devant ses subalternes. La bouffe ? Le gros du ravitaillement destiné à la nourriture des prisonniers allait à Meknès par camions. Chez lui. Le reste, il le revendait. Impunément. Pourquoi aurait-il été puni ? Il savait que ce trou était maudit et qu'aucune vie humaine ne devait en sortir vivante. Qui viendrait lui demander des comptes ? Impunis, les voleurs et les corrompus dans ce pays. La responsabilité incombe à ceux qui l'avaient placé à ce poste et lui avaient permis d'user et d'abuser de sa situation. Tous coupables de vol, de crime, de corruption et d'abus de pouvoir ! Je disais donc que, chaque dimanche, il fallait ramener du gibier. J'en avais marre de ce gros plein de soupe et de violence. J'ai décidé de ne plus rien ramener. Il n'avait qu'à récupérer ses proies lui-même. Il n'avait pas supporté son échec. L'air vicieux des gardiens l'avait mis hors de lui. Il me condamna à cinq ans de prison et m'enferma dans une cellule avec les autres détenus.

— Remontez plus loin dans votre passé !

Vous me faites chier avec ce leitmotiv à la con ! Je vous dis que j'ai été condamnée et incarcérée à Tazmamart et vous ne trouvez rien de mieux à dire que : «Remontez plus loin dans votre passé !» Savez-vous au moins où se trouve Tazmamart ? Oui, c'est ça. Il paraît que le lieu a été rasé. Il n'existe plus. Mais il existe toujours dans ma mémoire, dans celle des autres détenus et surtout dans celle du pays. Oublier ! Oublier quoi ? Dix-huit ans de vie suspendue ! Dix-huit ans de tortures physiques et morales. Et toutes les séquelles ! Et tous ceux qui sont restés là-bas ! Oublier ? Comme si c'était facile d'oublier toutes ces marques dans le corps et dans la tête. Quelle méprise ! Je suis la seule chienne détenue politique sur le globe et vous continuez à me casser les oreilles avec vos balivernes. Avez-vous déjà eu affaire à un animal ayant purgé une peine d'emprisonnement dans un lieu secret ? Avez-vous idée du bénéfice que vous avez de m'avoir comme patiente ? Mesurez-vous l'importance de ces moments privilégiés que je vous accorde ? Savez-vous que j'aurais très bien pu vendre les droits de ce récit à une très grande maison d'édition ?

Le toubib aboya quelques phrases inaudibles avant de se mettre à quatre pattes pour rechercher son crayon sous mon divan. Il ne se releva pas. Je le vis faire le tour de la pièce en imitant ma voix. J'étais intriguée par ce manège. Voulait-il me témoigner sa sympathie ou sa sollicitude ? Je n'en savais rien. J'eus pitié de lui parce que je ne comprenais pas un mot de ce qu'il disait. Il aboyait faux. Si faux que les mots et les sons s'embrouillaient dans sa bouche. Que cherchait-il à me dire ? Il confondait tout. J'oubliai un moment qui j'étais et qui il était. Le plafond me fixa de son regard accusateur. Je détournai les yeux. Les murs rose bonbon étaient propres comme la boite d'une poupée Barbie. Je me levai. Le toubib me suivit à quatre pattes, m'accompagna jusqu'à la porte. Je fis un effort colossal sur moi pour rester calme. L'expression de ses yeux clairs semblait appeler à l'aide. L'impatience faisait vibrer sa voix. Au moment où le taxi s'arrêta à ma hauteur, le toubib prit la position du chien savant, tira la langue, jappa un moment, me lécha les poils, haleta et finit par aboyer quelques phrases qui voulaient dire approximativement :

«La chienne de Tazmamart… Tu es la chienne de Tazmamart… Je te reconnais… Mais nous sommes tous des chiens dans ce pays et pour ce pays parce que nous n'avons jamais rien fait pour qu'un lieu comme celui-ci n'existe pas !»

MENNANA

Abdelfattah Kilito

La cuisine obscure où je passais mes meilleurs moments était immense (en réalité, elle était de proportions modestes mais, en ce temps-là, tout me semblait gigantesque). J'aimais par-dessus tout regarder ma mère allumer le feu : en dépit de ses gestes précis, j'assistais au spectacle avec angoisse car je craignais que le feu ne prît pas. Le miracle finissait par se produire et la flamme jaillissait, bleue et rose.

Les morceaux de charbon se métamorphosaient en joyaux et je songeais à Moïse qui, tout petit, fut mis à l'épreuve par Pharaon. Placé face à des braises et des pierres précieuses, le futur prophète se saisit d'une braise et la porta à sa bouche. Il en fut marqué pour la vie : sa langue se noua et, par la suite, il ne pouvait s'exprimer qu'avec difficulté. Comme à cette époque toute histoire me semblait parfaite, et donc incontestable, je n'osais trop m'attarder sur un détail de celle-ci : comment se fait-il que la braise ne brûla pas la main de Moïse avant d'atteindre sa langue ? Quant au choix de la braise plutôt que de la pierre précieuse... Un jour, par curiosité, je posai ma main sur le verre d'une chandelle ardente, et je me fis très mal. Pour me consoler, mon père me raconta cet épisode mosaïque, que je retrouvai plus tard, avec davantage de détails, dans un livre sur la vie des prophètes.

Mais l'événement le plus dramatique survenait quand ma mère versait de l'huile dans la marmite et y adjoignait du sel, des épices et de minces fragments d'ail. L'huile se mettait à pétiller gaiement, mais je le savais, ce bien-être ne devait pas durer et, en effet, dès que ma mère jetait les morceaux de viande dans la marmite, l'huile sifflait et crachait comme un chat à qui on marcherait sur la queue. Mais ma mère, les sourcils froncés, la réduisait au silence, l'étouffait sans pitié en la noyant dans de l'eau, beaucoup d'eau. Ce triomphe m'était toujours pénible, intolérable même : je me rendais alors compte que ma mère pouvait être méchante, causer du mal, avec acharnement, dans une sorte d'aveuglement atroce, analogue à celui de la bonne des voisins qui, lorsque la chatte mettait bas, plaçait les chatons dans un pot de chambre qu'elle remplissait d'eau... Le combat inégal autour du feu cessait dans un nuage de vapeur qui enveloppait toute la cuisine. Apaisée, la marmite se mettait à ronronner.

C'est Mennana qui m'avait raconté le supplice des chatons. Ce qui me peinait le plus dans cette mise à mort, mais je n'osais pas en parler (toujours l'idée qu'une histoire est implacable dans sa perfection), outre l'œil indifférent de tous ceux, enfants et adultes, qui assistaient à la scène, c'était l'attitude de la chatte. Mennana m'assurait qu'elle ne mettait pas beaucoup de temps à oublier ses petits.

Le jour où Mennana s'était présentée à la maison, ma mère l'avait soumise sans délai à un rite de passage : elle lui saupoudra les cheveux d'un produit contre les poux, avec le même acharnement qu'elle mettait à noyer l'huile dans la marmite. Les poux éliminés, Mennana n'eut plus qu'un seul défaut : elle aimait trop le sucre. Aussi ma mère veillait-elle à ce que cette denrée fût toujours enfermée.

Mais vers l'âge de quinze ans, Mennana acquit une mauvaise habitude, celle-là plus grave : dès que l'attention de ma mère se relâchait, elle se précipitait dehors, au bout de l'impasse, et regardait à droite, à gauche, puis s'en revenait furtivement. Avec le temps, ses stations à la limite de l'impasse devenaient plus fréquentes, plus fiévreuses : manifestement, elle guettait quelqu'un dont le passage incertain ne pouvait coïncider que, par une chance extraordinaire, avec le moment où, trompant la vigilance de ma mère, elle mettait le nez dehors.

C'est vers cette époque qu'elle commença à fumer, à l'exemple de la bonne des voisins, un peu plus âgée qu'elle. Elle s'approvisionnait naturellement dans les paquets de mon père et montait fumer sur la terrasse, observatoire idéal pour surveiller les rues environnantes. Mon père ne remarqua rien au début. Il dut simplement se dire qu'il fumait trop et qu'il devrait réduire sa consommation. Or, de jour en jour, celle-ci augmentait. Il se mit alors à faire le compte de ses cigarettes, et un soupçon terrible s'installa dans son esprit. Il me jetait des regards bizarres, et sa perplexité devait être d'autant plus grande qu'il y avait des sujets dont nous ne parlions jamais. Il devait aussi craindre d'être injuste à mon égard en m'accusant sans preuve. Un enfant ne fume pas, ne doit pas fumer. Lui-même n'avait commencé à le faire qu'à l'âge de dix-huit ans, quand il trouva du travail et fut en mesure de payer son tabac avec son propre argent, bref, quand il devint, selon une expression qui lui était chère, un «homme».

Un mot aurait suffi à écarter le soupçon qui pesait sur moi, mais je ne me résolvais pas à le prononcer car, d'une part, il s'agissait d'un sujet honteux et, d'autre part, Mennana m'avait menacé de ne plus jouer avec moi si je la trahissais. Il est vrai que je n'étais pas tout à fait innocent : un jour que mon père avait laissé un mégot allumé dans le cendrier, je m'assurai que personne ne me regardait et le portai à ma bouche. Le goût en fut si amer (mon père fumait des cigarettes sans filtre) que je le rejetai immédiatement, bien résolu à ne plus recommencer. J'avais l'impression que l'horrible odeur du tabac ne quitterait plus jamais mes lèvres et me marquerait pour la vie du sceau de l'infamie. Or Mennana qui, dissimulée, épiait avec convoitise le mégot, surgit à l'improviste, ravie et soulagée. Aspirant alors une longue bouffée, elle me souffla la fumée au nez : j'avais une raison de plus pour ne pas la dénoncer.

Désespéré, mon père me soumettait à une surveillance étroite et un matin (c'était toujours à ce moment de la journée qu'il prenait ses grandes résolutions), il fit une chose inouïe : il m'offrit une cigarette. Flairant immédiatement le piège, je refusai, mal à l'aise.

S'il ne soupçonna pas Mennana, ce fut en raison d'une croyance bien ancrée en lui qu'une femme ne devait pas fumer, et donc ne pouvait pas le faire, alors que moi, en tant que futur «homme», je pouvais me laisser tenter. Ma mère savait, bien entendu, mais elle ne voulait pas accabler Mennana et provoquer la colère inutile de mon père. Du reste, si elle était avare pour le sucre, elle se désintéressait totalement des cigarettes. Qu'elles soient fumées par mon père ou par Mennana (encore qu'il lui arrivait de gronder cette dernière), cela lui était apparemment égal. Elle préférait sans doute éviter de penser à ce gaspillage monstrueux, à tous ces milliards qui partaient, de par le monde, en fumée. Ce n'est que bien des années plus tard, quand Mennana n'habitait plus avec nous, qu'elle dit la vérité à mon père. Il me jeta alors un regard où se lisait, outre l'évidence du malentendu, un sentiment de délivrance, de reconnaissance : de quoi ne serait pas capable un enfant qui fume ?

Parfois, Mennana interrompait ses fumigations sur la terrasse et, descendant précipitamment, sortait dans la rue. Quelqu'un devait à ce moment-là y passer.

Elle se calmait un peu quand sa «mère» (en réalité sa tante, mais elle l'appelait ainsi, pour une raison ou pour une autre) venait, tous les deux mois, à la maison. Cette visite déplaisait au plus haut point à mon père : il devenait mauvais, faisait mine de sortir, mais ne savait où aller. Elle n'enchantait pas non plus ma mère, mais elle l'acceptait stoïquement, comme elle acceptait les averses soudaines et les chaleurs accablantes. Tout compte fait, ma mère était en parfait accord avec la nature, alors que mon père se fâchait contre le vent, la pluie, le soleil, et les injuriait en des termes qui frisaient parfois le blasphème.

Il avait fini par accepter l'idée, implicite, que la maison appartient en fait à la femme et que l'homme n'y est admis qu'à des heures déterminées, pendant les repas et aussi le soir, pas trop tard, mais pas trop tôt non plus. Les travaux du ménage matinal le chassaient. De l'eau partout, et l'inondation inéluctable avançait jusqu'au coin où il se réfugiait avec les maigres biens qu'il pouvait sauver, ses cigarettes, le cendrier, le journal et un fond de café dans un verre. Au milieu de la tempête, ma mère, hurlant ses ordres à Mennana, devenait franchement méchante, exactement comme lorsqu'elle jetait les morceaux de viande sur l'huile surchauffée. Si la pluie avait sur elle un effet bienfaisant, l'eau du ménage la mettait dans un état de surexcitation, et malheur à celui qui se trouverait alors sur son chemin : il serait jeté par-dessus bord et emporté par les flots irrités et mugissants. À l'approche des fêtes, c'était encore pire. Chaque pièce était soumise à un nettoyage à fond. Armée d'un long balai, elle s'attaquait, dans les chambres vidées de leurs meubles, aux murs, aux portes, aux plafonds. Perdu dans cette ambiance de déménagement, d'apocalypse, mon père se frayait un chemin dans le patio encombré de divans, d'objets hétéroclites, et se sauvait sur la pointe des pieds, sans demander son reste. Il cherchait refuge chez sa sœur, mais elle l'accueillait une tête-de-loup à la main. Il battait aussitôt en retraite, en roulant vraisemblablement dans sa tête de sombres considérations sur l'éternel féminin.

La mère de Mennana finissait par repartir, au bout de deux ou trois jours, avec l'argent des deux mensualités noué dans un coin de son habit. Elle dépossédait aussi ma mère, selon l'occasion, d'un vieux caftan, d'une robe ou — ce qu'elle appréciait évidemment davantage — d'un tissu neuf et brillant qui semblait sortir de la caverne d'Ali Baba, et dont le sort me laissait quelque peu perplexe. Après son départ, ma mère mettait le divan sur lequel elle avait dormi au soleil et le saupoudrait du produit contre les poux.

Vint le jour où les sorties furtives dans la rue ne suffirent plus à Mennana. Il lui fallait la promenade au «jardin», le vendredi après-midi. De guerre lasse, ma mère céda, mais évita, je crois, d'en parler à mon père (cela n'aurait fait, d'ailleurs, que compliquer les choses). Mennana mettait ce jour-là son plus beau costume et partait, en compagnie de la bonne des voisins, celle qui noyait les chatons, et qui avait réussi à arracher le même droit.

Un vendredi, Mennana ne rentra pas le soir à la maison. On apprit peu après qu'elle s'était mariée, et on la perdit de vue. Lorsque, plus tard, elle revint rendre visite à ma mère, je constatai chez elle un changement que je n'arrivais pas à définir et qui m'intimidait. Elle était mieux habillée, il y avait du khôl dans ses yeux et ses joues étaient colorées. Elle était devenue très belle et, en même temps, distante, inaccessible. Elle n'acceptait plus que mollement de jouer avec moi bien que, pour lui plaire, je volais des cigarettes à mon père.

Sa mère n'ayant plus aucune raison de se manifester chez nous, on ne la revit plus. Mon père en fut soulagé, mais il était loin de se douter que les choses n'allaient pas s'améliorer, que Mennana, à chacune de ses visites, serait accompagnée de son mari et, plus tard, de ses deux enfants. Le mari était grand (mon père devait lever les yeux pour le regarder), fort et taciturne. La première fois qu'il vint à la maison, il commit une faute impardonnable : aussitôt après le déjeuner, il alla se coucher sur le lit de mon père, dans cet espace unique où il se sentait chez lui car ma mère, avec la puissance sournoise de l'eau qui érode la roche, avait fini par conquérir tous les autres espaces. Mon père ne dit rien ; il ne regarda même pas ma mère pour la prendre à témoin de la gravité de l'offense qu'il venait de subir, offense dont il devait penser qu'elle était responsable (car tout ce qui concernait Mennana était de son ressort à elle). Mais ma mère murmura quelques mots à l'oreille de Mennana qui, à son tour, les répéta à son mari qui, avec une lenteur étudiée, se leva et alla faire sa sieste sur l'un des divans de la cuisine.

Mon père ne lui adressa plus la parole. Il ne lui pardonna que bien plus tard, le jour où cet homme qui, à chacune de ses visites, nous apportait de la menthe, fut renversé et tué par un camion. Le silence de la mort l'enveloppa tout de suite; le néant l'engloutit irrémédiablement, on ne conserva de lui nul propos remarquable, et aucun récit ne fut mis en circulation pour perpétuer son souvenir. On ne savait rien de lui, mais le pire est qu'aussi bien de son vivant qu'après sa mort personne ne voulait savoir quoi que ce fût le concernant. Mennana elle-même ne l'évoquait plus jamais sauf incidemment ou indirectement, lorsqu'elle se plaignait des innombrables tracasseries suscitées par l'avocat qui la défendait en principe auprès de la compagnie d'assurances. Le jour, aléatoire, en tout cas bien lointain, où elle toucherait l'argent promis, elle se réconcilierait sans doute avec son homme.

Depuis ce deuil, à intervalles irréguliers, Mennana revient nous voir. Dès qu'elle s'installe dans la cuisine, elle sort de son sac un paquet de cigarettes et se met à fumer, sous l'œil vaguement indulgent de ma mère.

L'ENFANT ENDORMI

Abdellah Taïa

L'enfant endormi

Ma mère, en se rendant compte qu'elle était enceinte de moi, se demanda : sera-ce encore une fille ? une huitième fille ? Mohamed risquerait de se fâcher. Il aimerait tant avoir un nouveau garçon cette fois-ci. Elle avait peur, peur d'assumer cette grossesse jusqu'au bout, d'aller ce chemin de neuf mois avec au terme une fille, encore une fille. Elle se disait en elle-même que c'était une fille, sûrement une fille : je ne peux donner naissance qu'à des filles; Fatima m'a jeté un sort, elle veut que Mohamed me quitte, m'abandonne pour d'autres femmes, lui qui les aime tant; Massaouda, sa sœur, l'aiderait sans problème; n'est-ce pas elle qui l'a marié quatre fois avant qu'il ne m'épouse; oui, oui, elles feront tout pour qu'il me répudie; il les écouterait toutes les deux; il a un faible pour Fatima; ne les ai-je pas surpris il y a deux ans, lors de la circoncision d'Ali, sur la terrasse, tous les deux, rien que tous les deux ? Oui, oui, ils sont complices... et cette Massaouda... elle a juré ma ruine depuis ce jour d'hiver en plein ramadan où j'ai mangé tout le couscous aux sept légumes, seule avec Mohamed d'abord, puis, le soir, avec mes enfants sans rien lui laisser... et pourquoi lui laisser une part... elle ne m'apporte jamais rien, toujours les mains vides, toujours se plaignant, toujours montrant ses cinq doigts, ses cinq orteils bien écartés pour s'éviter le mauvais œil, elle se souviendra de tout cela si j'accouche d'une fille… mon Dieu tout grand !

Ma mère resta perplexe plusieurs jours durant, sans savoir que faire. Elle avait besoin de parler, d'exploser comme elle dit souvent. Mais pour exploser il lui fallait une personne de confiance. Qui ? Qui ? Elle tourna et retourna la question dans sa tête sur laquelle elle mettait à l'époque son éternel foulard rouge parsemé d'étoiles vertes, en vain. Elle alla au hammam, un qui était encore nouveau, situé dans un quartier éloigné, Touarga, et où les seaux étaient de couleur blanche et non noire comme on en trouvait partout. C'était un après-midi de décembre pluvieux : le hammam était presque vide. Elle délaissa la salle de la vasque trop chaude pour celle du milieu. Elle s'assit à côté d'une vieille femme. Elles étaient les seules à occuper cette partie, entre deux chaleurs. Elles se regardèrent, s'épièrent, s'aimèrent un quart d'heure après.

En sortant du hammam ce jour-là, M'barka avait la solution. Un simple papotage avec la voisine avait suffi pour la convaincre que c'était le moyen idéal pour reporter le drame au moins de quelque temps.

Elle décida de m'endormir dans son ventre. Par quel moyen ? Je l'ignore encore. Mais ce phénomène est fréquent chez nous, discrètement.

La médina regorgeait d'herboristes vieux, très souvent berbères, des Soussis de la région d'Agadir. Ma mère était l'habituée de celui qui se trouvait au milieu de la souika, Da Lhouss, le plus mystérieux d'entre eux tous, le plus puissant également : même maintenant, on le craint, on lui attribue des pouvoirs incroyables; les hommes, les maris ne l'aiment pas, ce qui lui convient parfaitement et le pousse à consolider sa complicité avec les femmes, les épouses, mais pas toutes. M'barka faisait partie du cercle très réduit des femmes à qui il fournissait tout ce qu'elles demandaient, de la queue de rat de l'Atlas au sang séché de l'ânesse stérile. Ma mère n'avait pas besoin de remèdes, elle voulait que Da

Lhouss lui accorde un peu de temps à elle seule, qu'il ferme sa boutique car ce qu'elle allait lui révéler devait rester secret. Il répondit tout de suite à son désir, sans doute était-elle, pour une raison bien spéciale que je n'ai jamais sue, sa cliente favorite, à qui il ne pouvait rien refuser.

— Je suis enceinte, mon frère.

— Comment ? Enceinte ? De qui ? Je veux dire depuis quand ?

— Un mois, un mois. Je n'ai pas eu mes règles depuis quatre semaines.

— Mabrouk, mabrouk !

— Il n'y a pas de quoi être fier, mon frère. C'est un problème, j'ai assez de filles comme ça.

— Je ne comprends pas. Explique-moi, ma sœur.

Elle n'eut pas besoin de beaucoup de temps.

— Dans trois jours, après la prière médiane, reviens me voir, j'aurai ce qu'il te faut pour l'endormir. Seulement…

— Seulement quoi, mon frère… ?

— … tu comptes l'endormir pour combien de temps ?

— Je ne sais pas… je ne sais pas. C'est un autre problème…

En effet, c'était un autre problème, mais elle l'oublia très vite, du moins elle essaya de l'oublier.

Le soir de cette entrevue, craignant sans doute pour sa vie, ne voulant pas courir de risque seule, c'était quand même la première fois qu'elle allait vivre une expérience pareille, aux conséquences si déterminantes (certes, elle avait vu plusieurs femmes autour d'elle, à maintes reprises, recourir à ce genre d'opération, mais elle avait peur, de nouveau peur), elle décida de tout dire à Abdelkébir, le grand frère, l'aîné, le seul garçon de la famille à l'époque. Il avait à peine 15 ans. Il était encore très timide, d'accord sur tout. Pourtant, après avoir entendu M'barka jusqu'au bout, il éclata en sanglots, se rétracta, et finit par se taire. Ma mère, surprise, devinant son choc, lui révéla ses vraies raisons, le risque d'être répudiée ou, pire encore, que Mohamed prenne une deuxième femme.

Deux jours passèrent.

Le matin du troisième, avant de partir aux cours, Abdelkébir raconta à ma mère un rêve affreux, un cauchemar plein de sang, qu'il avait fait cette nuit-là.

— Dis-moi, raconte-moi, mon petit cœur, que Dieu éloigne de nous tous les maux.

— C'est un grand mal que tu t'apprêtes à faire, *moui*. Un crime. Tu iras en enfer. Tu le porteras toujours sur ta conscience.

— Mais de quoi parles-tu, mon fils ?

— Du bébé que tu as l'intention d'endormir dans ton ventre. Je sais bien… quand Mohamed sera à la campagne en été pour les moissons, tu le rejetteras de ton ventre, tu le tueras, tu nous priveras du garçon tant attendu. Ce sera alors trop tard quand tu te rendras compte que c'était…

— Un garçon… tu dis vrai ? un garçon tu dis ? répète, mon petit oiseau, tu es un Chrif et tu vois la nuit ce que les autres ne peuvent voir… tu es le descendant de notre saint Sidi Moulay Brahim… Qu'as-tu vu exactement ? raconte-moi tout.

— Je t'ai vue dans une nuit noire, dans le ciel les étoiles et la lune n'existaient pas. Tout était étrangement calme, noir. On dormait tous, sauf moi. Soudain, sans raison, tu t'es levée, dirigée vers la cuisine et tu as pris le grand couteau de l'Aid El Kébir que Mohamed cache derrière les gamelles des fêtes. C'est à ce moment-là que j'ai vu l'enfant que tu portais dans tes bras. C'était un garçon, un garçon, *moui*, je te le jure… je te le jure. Tu es revenue au patio, tu l'as mis par terre et sans invoquer Dieu tu l'as égorgé d'un seul coup… il y avait du sang partout, partout, dans toute la maison… tu criais, je criais… C'était un garçon, je te le jure, un garçon. Du sang, du sang. La fin du monde. Et Dieu qui nous regardait…

Ma mère entoura Abdelkébir de ses bras, le prit en elle, le mit sur ses genoux, sa tête sur ses gros et doux seins. Ils ont pleuré, pleuré longtemps.

Huit mois après, je suis venu au monde. J'étais effectivement un garçon, un garçon spécial malgré tout. Au septième jour de ma naissance, on organisa une fête, la plus grande dans toute ma famille. Le lendemain, on m'emmenait chez le médecin. J'étais spécial, très spécial.

Sellafa

Rabat. Jolie ville. Certains la disent «propre». Pour les Rbatis, c'est autre chose. Pour moi, c'est une ville-village, sans aucun rapport avec les autres, unique. Je la traverse facilement à pied d'un bout à l'autre en une heure ou deux, de Touarga, le quartier propre, à la médina, où les ruelles sont infinies, une véritable figure de la folie qui rôde dans tous les coins, et à la plage d'où l'on voit l'autre rive : Salé.

Rabat a un visage que je n'ai découvert que récemment, que je n'ai vu réellement qu'il y a seulement un an. Ce sont les prostituées. Femmes, hommes. Les femmes, on les reconnaissait facilement en les croisant sur le boulevard Mohamed V, ou à la souika, le matin, en train d'acheter les derniers albums de Kazim Saher, Samira Saïd ou du chaâbi pour danser dessus la nuit, la nuit longue. Les hommes, les garçons, je ne les voyais jamais : je passais à côté d'eux sans les regarder, ou plutôt je les regardais sans les reconnaître : ils entraient en moi sans réveiller quoi que ce soit. Ils passaient. Je passais.

Comment s'appelaient-ils ? Samir ? Salem ? Réda ? Fouad ? Des prénoms sensibles, on dirait féminins. Ils devaient certainement avoir des surnoms : la divorcée, la vieille, la garçonne, la bise, le mannequin, ou d'autres Je les imaginais ainsi lorsque j'ai pu enfin les repérer sans oser les aborder : ils étaient fascinants, mystérieux, vivant la nuit seulement. Surtout ils procuraient du plaisir aux autres. Ils étaient hors du temps, hors de la réalité, complètement dans l'amour. Ils étaient beaux, heureux, très chics. Ils semblaient ne jamais connaître la tristesse ou le malheur, riant d'une manière efféminée, se tapant, se pinçant. Légers. Ils n'avaient pas de coins précis, se réunissaient plutôt autour de l'avenue de la Victoire, très près de l'une des entrées du palais royal, et bien sûr de la gare.

Les femmes, elles, envahissaient toujours, à partir de huit heures du soir, le même coin : le terminus des bus, juste en face de Bab Chellah. Elles faisaient leur apparition individuellement ou en groupe alors que la station regorgeait encore de monde. Elles se mêlaient à la foule et restaient presque muettes au début, ne communiquant avec les passants que par les yeux — des yeux noirs de khôl. Mais elles avaient leurs clients qui attendaient toujours que cette partie de Rabat devienne déserte pour entrer en scène.

Assises sur des bancs réservés le jour aux passagers, elles pouvaient alors parler à haute voix, fumer une même cigarette en se la passant ou bien faire les cent pas. Elles osaient interpeller les hommes en promettant des *boussat* fiévreux et tout ce qui s'ensuivait sans aucune honte : elles travaillaient. Et visiblement elles étaient malheureuses : j'en étais convaincu après les avoir une fois observées attentivement. Sans aucun doute elles étaient obligées de faire le trottoir pour vivre, sinon…

Quelques-unes étaient en djellaba et voilette, d'autres en jean, la plupart d'entre elles étaient très maquillées et avaient une voix cassée à force de boire et de fumer, de désespoir probablement. C'étaient des *shikhat*. Des *shikhat* qui assumaient. Des *shikhat* émouvantes, débordantes de tendresse : leur poitrine était généreuse. Elles l'offraient pour quelques dirhams seulement. J'en rêvais, moi, de ces poitrines, elles me rappelaient celle, magnifique, de ma mère sur laquelle j'ai dormi tant de fois.

Je les aimais ces femmes. Elles représentaient certes le côté «sale» de Rabat, mais un côté humain, chaleureux, malgré la détresse.

Je les rencontrais de temps en temps, notamment les jours

où j'assistais aux activités de l'Institut culturel français. Pour retourner chez moi, tard, la nuit, je devais prendre un grand taxi, le taxi-Mercedès, juste à côté du terminus des bus. Je pouvais facilement les éviter en empruntant une autre rue, je n'en faisais rien : je passais devant elles à l'instar d'un mannequin qui se dandine sur un podium, ce qui ne manquait pas de susciter des commentaires, des remarques de leur part :

— Regarde, ma sœur, comme il est mignon, ce petit, un écolier qui rentre chez lui…

— Tu as raison, il est craquant… mais que fait-il ici à cette heure de la nuit ?

— Viens mon petit, il fait froid, je vais te réchauffer… je te donnerai le sein aussi si tu veux.

Éclat de rire général, à cause de ma réponse surtout : non merci !

— Qu'est-ce que tu as étudié aujourd'hui mon chou, mon oiseau ? Taha Hussein ?

— Non, Abou Nawass, répliqua une autre.

— Tu es pressé, ta maman t'attend, n'est-ce pas ? Je parie qu'elle t'a préparé du couscous; tu ne m'invites pas à le partager avec toi ?

— Tu n'aurais pas une cigarette par hasard ?

— Mais bien sûr que non, ma sœur, est-ce que les bébés fument !

— Eh ! beau gosse… tu viens, il fait doux chez moi; on ne dormira ensemble qu'une fois que tu auras terminé tes devoirs.

— Tu reviendras demain ? Promis ? Demande l'autorisation à ta mère.

Je les amusais. Elles riaient. Non, pas de moi. Je riais aussi.

Au fil des jours, elles commençaient à me reconnaître. On se souriait sans rien se dire. Parfois, certaines priaient pour moi :

— Que Dieu t'éloigne du péché et t'ouvre toutes les portes du bien.

— Bon courage dans tes études, petit !

— J'aimerais tellement que mon fils devienne comme toi un jour, mais... c'est mal parti... apparemment.

Une fois, deux de ces femmes, visiblement nouvellement arrivées, m'abordèrent violemment, puis d'une manière très gentille, douce :

— Donne-nous deux dirhams s'il te plaît pour acheter des cigarettes au détail !

— Volontiers. Tenez !

En guise de remerciement, elles m'embrassèrent toutes les deux, l'une sur la joue droite, l'autre directement sur la bouche.

J'étais confus.

Une autre fois, je réussis à vaincre ma timidité et demandai à l'une d'elle, une petite femme qui avait été belle, son prénom :

— Je m'appelle Sellafa. C'est joli, tu ne trouves pas ?

— Oui, c'est très joli et très curieux en même temps. Il n'y a pas beaucoup de filles qui portent un prénom pareil. Je n'en connais aucune.

— Tu veux savoir les prénoms des autres filles ?

— Oui, oui... avec grand plaisir, Sellafa.

Je répétais son prénom pour mieux le saisir, le mémoriser. Il était réellement beau, aussi beau que Radia ou Bahija. Sellafa. Sellafa...

— La grande brune avec le grain de beauté sur la joue droite, c'est Bouchra; à côté d'elle c'est la coquette maigre, Najat, elle appartient à une grande famille de Fès, je crois la famille Chraibi. Les trois grosses femmes qui portent des djellabas sont Naïma, Zohara et Fatna; elles habitent ensemble; elles étaient des mères de familles à la campagne, mais elles ont osé il y a deux ans descendre à Casablanca pour acheter des tissus à Derb Ghellaf sans prévenir leur mari. À leur retour, les portes de leur maison étaient closes. Peu après, elles ont été répudiées. Elles ne voient plus leurs enfants; tout le monde les a reniées. Alors elles sont venues chercher du pain à Rabat mais auparavant elles ont fait un détour par Douar Dbaba à côté de Khémissat, que tu connais sûrement…

— De nom seulement

— Tu n'as jamais été à Douar Dbaba ? Jamais ? C'est la meilleure ! Mais tous les jeunes des quatre coins du Maroc y vont… Continuons. La belle blonde (en fait, elle porte une perruque) qui fume est la bourgeoise : elle ne se mêle pas aux autres; elle est arrogante et se comporte comme si elle était la reine d'un bordel; on ne sait rien sur elle, presque rien. Trois fois par semaine, un colonel très haut placé vient la chercher avec son avion… tu comprends, sa grosse Mercedès dernier cri je veux dire. La pauvre, elle espère qu'il la gardera un jour plus longuement, non pas comme sa femme, cela n'arrivera jamais bien sûr. Elle pleure souvent et chaque soir elle est là.

Juste à côté du grand taxi rouge, c'est Assia, elle est étudiante. Le garçon qui était avec elle à l'université et qui lui promettait le mariage et un avenir radieux a déguerpi un jour en la laissant enceinte. C'était la honte, le scandale. Elle n'est jamais revenue dans la famille. Son fils Oussama l'accompagne toujours, c'est lui qui joue derrière nous, tout seul. Je ne sais comment elle se débrouille quand elle est avec ses clients : où le met-elle ? Elle n'a qu'une petite chambre sur la terrasse d'une vieille maison de la médina… comme nous toutes d'ailleurs. Et maintenant, laisse-moi, mon frère… il faut que je travaille, je vois des militaires qui arrivent là-bas…

Il n'y avait pas de militaires en fait, il n'y avait personne qui venait. Les larmes montaient en elle, elle ne voulait pas pleurer devant moi, elle ne voulait pas être pitoyable.

À peine étais-je plus loin qu'elle s'est mise à pleurer sur place, sur son banc. Elle levait sa tête vers le ciel nuageux et sombre, revoyant ainsi probablement tout son passé, toute sa vie misérable depuis ce jour où elle avait franchi le seuil de ce monde de la rue, la rue la nuit.

De loin, attendant le départ de mon taxi, je l'ai observée. Et comme fait ma mère fréquemment, même avec les gens qu'elle ne connaît pas, j'ai prié pour elle, sincèrement, tout en répétant son prénom dans ma tête : Sellafa, Sellafa, Sellafa…

Mes bruits

Le calme européen me terrorise.

Ma mère doit être mécontente; elle ne voulait pas que j'aille chez les mécréants, que je vive parmi eux. Elle désirait me garder auprès d'elle, me marier, s'occuper de moi, de ma femme, de mes futurs enfants, que je lui remplisse la maison qui s'est vidée rapidement, en une année, chaque membre prenant une direction différente, de vie, de bruits.

Au Maroc, vivre, c'est crier. À Paris, à la recherche du bruit, je vais à chaque fois au marché de Belleville, le mardi et le vendredi matin. Et là c'est le bonheur ! Un vrai souk !

Du bruit. J'ai toujours vécu dans le bruit. La nuit était le seul moment, heureusement pour moi assez long, où je pouvais me concentrer, lire, lire, comme je le voulais, sans risque d'être interrompu, ni par ma mère, ni par mon frère ou mes sœurs, ni par mes nombreux neveux et nièces. Alors, j'en profitais et je dévorais les livres, les romans, les romans que je découvrais tout seul, les revues où je découpais les photos qui me plaisaient et les bandes dessinées. Des gens passaient à côté de chez nous revenant d'une fête, d'une invitation en chuchotant presque de peur de réveiller les endormis, ce qui ne m'empêchait pas de saisir des bribes de leur conversation. Parfois, c'étaient des ivrognes, des soulards qui criaient et vociféraient des insultes contre tout le monde, y compris Dieu et le roi : tout le quartier se réveillait pour écouter, pour interpréter les moindres phrases cachant un secret ou des secrets de certains voisins, même les plus lointains; c'est ainsi qu'on avait appris que la blondasse, femme du vieux propriétaire du hammam, conçu pour être le plus «moderne» de la région, avait été dans le passé une *shikha* (partant de là, ma mère M'barka ne disait-elle pas que quand on est *shikha* on le restera toute sa vie) et avait couché avec le jeune et bel officier Omar le Fassi qui habitait juste derrière chez nous et que je rencontrais très souvent au hammam (il m'aidait à me laver; je l'aidais à se laver).Cette révélation, curieusement, au lieu d'inciter Malika à quitter le quartier, l'avait rendue, par je ne sais quel mystère, plus respectable : ni répudiée ni insultée dans la rue, elle passait comme avant, se dandinant dans sa djellaba (elle en avait plusieurs, et de toutes les couleurs) qui lui serrait la taille, exhibant ainsi son majestueux postérieur, fameux chez les petits qui n'arrêtaient pas d'en parler, désiré par les vieux, même ceux qui ne manquaient aucune prière à la mosquée, et surtout par les jeunes qui tenaient les murs à longueur de journée. Seules les femmes, bien sûr, ne l'aimaient pas, elles l'exécraient et répétaient partout que c'était une sorcière et qu'elle avait jeté un sort aux hommes qui en bavaient tous pour elle (moi aussi).

Je n'étais pas contre ce genre de bruit; j'en réclamais davantage : j'avais l'impression que c'était la continuité de mes histoires que je lisais et relisais, que cela formait un tout. J'étais heureux alors. Mais quand, dès sept heures du matin, parfois bien avant, ma mère se levait, cela dépendait de son état de santé, fatiguée ou non, c'était autre chose : une fois qu'elle avait préparé les délicieuses crêpes, qu'elle seule savait réussir excellemment dans la famille, et le thé à la menthe (et au *shiba* en hiver), elle commençait à nous réveiller, pas doucement, avec des cris :

— Levez-vous, levez-vous ! mais levez-vous ! pour qui j'ai préparé tout cela, pour les murs ? Allez... debout ! nous avons tant de choses à faire : laver les vêtements, puis les couvertures... mais levez-vous, après-demain, votre tante Fatna sera là et trouvera la maison sale... vous allez me faire honte devant ma sœur... et la cuisine, qui va s'en occuper ? Mais debout !...

C'est en été surtout qu'elle était en forme pour mener cette action, cette redoutable offensive qui n'épargnait personne. En hiver, comme je partais tôt à l'école, elle n'avait point besoin de me réveiller par des cris, mais dès mon départ, je l'imaginais facilement recommencer ses interminables tirades qui pouvaient durer une heure entière. Elle avait à chaque fois de nouveaux arguments, jamais à court, toujours des choses à dire, à crier. Mais de là à convaincre, surtout en été… Ces cris suscitaient parfois d'autres cris venant de mes frères et sœurs : facilement le bruit initial de ma mère pouvait aboutir à du vacarme, à des portes qu'on claquait. Du bruit, encore du bruit. Ça montait très vite, comme ça descendait tout aussi vite. On avait alors le droit de continuer à dormir tranquillement, et à lever, à force de sommeil, comme une pâte. Ainsi, pour la faire taire, ou bien pour la convaincre ordinairement, il fallait crier. C'était le seul moyen pour avoir un peu de calme, du moins jusqu'à la fin de la matinée.

Au fond de moi, je me disais que ma mère avait probablement peur de rester seule, surtout de manger seule; elle était frustrée : elle préparait le petit déjeuner comme il le fallait et personne ne daignait le partager avec elle, c'était une insulte, elle répondait en criant. Chaque jour. Ou presque. J'avais remarqué que si l'odeur des crêpes venait à me réveiller, m'obligeant presque malgré moi à me lever pour manger avec elle, rien que tous les deux, ne serait-ce que vingt minutes, elle était contente. Et pour me récompenser, elle me contait des histoires, des fragments de sa vie avant ma venue au monde, quand elle était encore au bled. Je le regrette : je n'ai pas eu le courage nécessaire pour me lever fréquemment et partager ces moments matinaux en sa compagnie. Ma sœur Latifa, quand elle venait chez nous passer le week-end avec ses trois enfants, ne ratait jamais ces occasions : ma mère ne criait pas, ne nous réveillait pas.

Le quartier où je vivais était populaire. Les enfants

jouaient tout le temps dehors, sauf au moment de la sieste et quand il pleuvait. Ma chambre, au deuxième étage, donnait justement sur la rue : j'entendais tout, absolument tout : à part le jeu des enfants, le papotage de l'épicier à qui mes parents avaient loué tout le rez-de-chaussée et qui connaissaient toutes les «news», avec les femmes le matin, et puis, le soir et une large partie de la nuit, avec les hommes : contrairement à ce que je pensais, même les hommes papotaient. Il y avait surtout la cacophonie produite par un magasin de parfums et de choses de femmes que je n'ai jamais pu découvrir réellement, qui se trouvait juste en face. De neuf heures du matin à vingt-deux heures du soir, en été jusqu'à minuit, le vendeur mettait de la musique non-stop et assez fort pour que tout le quartier puisse en profiter ; tous les genres y passaient. Ma tête risquait souvent d'exploser, encore plus quand dans le patio de notre maison ma sœur Saâdia dansait seule, on aurait dit une folle, sur sa musique préférée (du chaâbi qu'elle ne pouvait écouter que très fort, mais vraiment TRÈS FORT). Le comble, c'était lorsque Mourad, mon petit frère de 16 ans, se décidait à allumer la télévision pour voir, et revoir, des clips. C'était le souk, réellement le souk !

Et pourtant ce souk, à présent que je suis dans une ville européenne on ne peut plus calme, Genève, me manque. C'était mon quotidien, mon lot durant des jours, des mois et des années. Je me surprends à me demander comment j'ai pu faire mes devoirs, préparer mes examens et rédiger mes mémoires ou mes lettres dans une pareille atmosphère. Oui, j'attendais la nuit, mais la plupart du temps j'étais obligé de faire avec en plein jour, au milieu des cris, des querelles; celles de mes parents qui surgissaient toujours de manière inattendue étaient les plus belles, les plus romanesques. Je les détestais; Elles me manquent.

Le vacarme était en moi.

TROIS PAR JOUR

Salim Jay

Oui, vous avez bien lu : trois par jour. 3 morts par jour. En moyenne.

Cet homme, ce rescapé, tout ce que vous écrirez bruira de son absence.

Vous aurez beau jeu de vous dire obsédé par son destin ! Il s'est jeté clandestinement dans une barque en pleine mer, «dans les terribles courants du détroit de Gibraltar», je cite la presse, «pour une fuite suicidaire, avec l'espoir de se poser en Espagne, d'émigrer vers l'Europe».

S'il sera absent de ces pages, invoqué cependant, évoqué, certes, révoqué, de fait, c'est parce qu'il ne sait pas lire ? Oh ! Non ! Peut-être même lit-il parfaitement deux langues plutôt qu'une. Il s'exprime en étant plus convaincant que quiconque.

Une détresse le broie ?

L'espoir, voilà ce qu'il dit, l'espoir qu'il caresse envers et contre tout, dans l'indifférence universelle qu'il rencontre. L'espoir, oui, de s'en aller victorieusement.

Vous devriez tâcher de l'évoquer en renouvelant le rythme de vos phrases, en installant des personnages, des paysages, en décrivant des miradors si besoin.

Il a le choix, selon son point de vue, entre mourir à petit feu et mourir noyé, après avoir été rançonné.

Le choix entre rien et rien; avec l'espérance au milieu, comme scotché sur une bouée imaginaire.

Alors, vous pensez comme il s'en fout, de tout. Il rirait d'énervement s'il vous voyait gagner neuf cents francs en l'évoquant sur neuf pages.

Peut-être qu'il réfléchirait à deux fois avant de repartir, s'il savait vos loyers en retard, vos impôts locaux impayés ?

Pas du tout.

Il constaterait, lui, que des vitres sont à laver, les vendanges à faire, la plonge. Pas peur de l'eau, — ou comme on a, presque fugacement, peur de mourir. Pas peur du feu, — ou comme on a peur de l'incendie (criminel ?) d'un bidonville. Il sait qu'il existe, en effet, des promoteurs immobiliers véreux spécialisés dans l'habitat insalubre.

Il vous regarderait, muet de rage, si vous — nous tous —, lui parliez de prendre sa vie en mains, là où il est, ici et maintenant, que vous savez dire en latin *hic et nunc*. Vous pourriez lui raconter le latin au lycée Gouraud, et comment ensuite se feuilletait le *Gaffiot* au lycée Descartes.

Vous pourriez même lui révéler, dans la foulée, les prénoms de Gouraud (Henri, Eugène) grâce au merveilleux livre de Charles-André Julien, qui fut titulaire de la chaire d'Histoire de la colonisation en Sorbonne puis fondateur et doyen de la Faculté des Lettres de Rabat. Avant de mourir centenaire.

Oui, ce livre de Julien s'intitule *Le Maroc face aux impérialismes 1415-1956* et vous-même avez vécu au Maroc de 1957 à 1973.

Quant à Gouraud, c'était un général. C'est tout dire.

Mais voilà, nous sommes en 1999. Talonnés par un cauchemar qui n'est pas le nôtre. Naguère, vous connaissiez une planque — l'esprit ? — où fascination et répulsion s'acclimatent par disparition simultanée de l'obligation et de la sanction; une planque où il arrive de penser sans dissuasion ni distraction, dans la fête loisible où les faits se défont…

Une planque ? Vraiment ?

La fête loisible, ça n'est pas pour lui. «Vie et mort, tout est lumière»; ça n'est pas pour lui qui n'a rien, qui ne possède que des choses à dire; et aucune chance d'être entendu, et aucune envie qu'on parle à sa place.

Quant aux faits, ils ne se défont pas.

Ce n'est pas un mythe : ce sont des naufrages.

Vos façons chantournées, il se marre ! Cette façon, surtout, de prendre la détresse en notes; alors que la détresse serre les dents.

Je vous ai regardé attentivement tandis que vous écriviez la phrase que l'on vient de lire. Décidément, je vous trouve peu crédible en intellectuel charismatique. Vous feriez mieux de gagner votre vie. Lui ne pense qu'à ça, figurez-vous. Gagner de quoi vivre. Ailleurs, puisqu'il n'y parvient pas ici. Qui est là-bas pour vous.

Ici, en votre ici-maintenant, vous lisez dans un quotidien parisien que «député de la ville de Tiflet, Archane faisait sensation en octobre dernier à la télévision marocaine en reconnaissant qu'il avait torturé des opposants au début des années 70 dans des centres de détention secrets. À l'en croire, il s'agissait d'une *grande guerre sainte et d'un combat nationaliste.*»

De quoi espérer qu'il ne s'agisse point, en prime, d'un combat internationaliste ! Il faut savoir que ce député ex-tortionnaire a été invité — erreur de listing — aux «Entretiens élargis aux pays du sud de la Méditerranée», organisés à Épernay par Bernard Stasi, médiateur de la République, et naguère auteur d'un ouvrage intitulé *Les Immigrés, une chance pour la France.*

Votre candidat à l'émigration, fût-ce en empruntant les embarcations de la mort, serait une plus grande chance pour la France que ce visiteur-là ! Mais votre candidat au voyage est une vie entre deux effrois, et qui ne compte pas; en tous cas, pas vécue comme ça. Une vie qui ne sera pas décomptée, et qui se risque au-delà de soi. La vie de quelqu'un qui n'entendra jamais dire que Marguerite Yourcenar appelait ses voyages autour du monde «le tour de la prison». La vie de quelqu'un qui ne connaîtra peut-être, de l'Europe, qu'un camp de rétention insalubre.

C'est la vie de quelqu'un qui ne compte plus les tristesses, les déconvenues, les désillusions. Quelqu'un qui ne croit plus à la forme des phrases, et qui doute du sens des mots, hors les mots *partir d'ici*; arriver là-bas. C'est sa vie. Vous ne pouvez pas la lui prendre. C'est la vie de quelqu'un qui est prêt à mourir. *Bêtement*.

Le tour de la prison, comme disait Marguerite Yourcenar ? Vous aimez citer plutôt Mohamed Nadrani, *in La Chronique d'Amnesty International*, novembre 1993 : «On n'avait pas le droit d'écrire. Tout était interdit. On s'est procuré un peu de sable, et sur ce sable, en traçant des signes avec les doigts, on a commencé à enseigner l'écriture aux analphabètes. Nous avons été découverts : on nous a confisqué le sable.»

Tant de choses ont changé en six ans. Amnesty a même envisagé, depuis, de réunir son Congrès Mondial à Marrakech en 1999. La lutte contre l'analphabétisme est vivement conseillée par la Banque Mondiale. Et le Premier ministre la souhaite de tout son cœur, qui est sincère.

Mais voilà, il est déjà alphabétisé celui qui est prêt à mourir dans une *patera*, unique moyen de tenter de gagner l'Europe.

La Déclaration des Droits de l'Homme ne dit-elle pas que chaque homme a le droit de quitter son propre pays ? La Déclaration… dit ce qu'elle veut. Ça ne mange pas de pain. C'est comme un galet au fond de l'eau.

Et moi, je voudrais simplement savoir pourquoi vous n'avez pas écrit votre texte Brasserie Lipp. Vous êtes bien, pourtant, il me semble, l'auteur d'un amusant ouvrage intitulé *Du côté de Saint-Germain-des-Prés* ? Et vous y vîtes, n'est-ce pas, à Saint-Germain-des-Près, le fondateur aujourd'hui décédé, de l'Union Socialiste des Forces Populaires, dont le quotidien de langue française publie en feuilleton, à Casablanca, un roman — interdit en librairie — d'Abdelhak Serhane, *Messaouda* (réédité, en revanche, à Tunis !)

À Tunis ! ! ! Là-même où la liberté d'expression est, en 1999, le plus soigneusement bafouée.

Bon, ça va, hein ?

Si vous en veniez enfin aux *pateras*.

Vous tirez à la ligne pour gagner mille francs plutôt que neuf cents francs ? (Oui, mille francs, ce serait mieux…)

— La digression vous perdra.

— … mais c'est la liberté !

— La liberté vous perdra.

— Pas sûr ! La liberté ne perd rien pour attendre. Elle attend. Elle est ce qui nous attend au tournant.

— Lui aussi serait attendu au tournant par la l… ?

— Lui aussi. Ou son frère. Et, en cadeau de digression, ces lignes de Mohamed Khaïr-Eddine, dans *Une vie, un rêve, un peuple, toujours errants* : «Peut-être que les Hemingway bouffaient bien, baisaient bien, buvaient bien et sortaient bien à Paris, en leur temps, mais nous autres, voyons ! Nous autres à Paris nous crevons la dalle, nous sommes ratiboisés et insultés comme pas un !»

Khaïr-Eddine, depuis, est rentré au Maroc, puis il y est mort. Façon d'en finir. Avec les digressions.

Une dernière, pour la route ?

Samuel Beckett lisait Khaïr-Eddine, et l'aida. Roger Kempf vient de raconter (*Magazine littéraire*, janvier 1999) que «dans les moments de *désespoir*, fuyant Paris, [Beckett] louchait soit vers son bled de Seine-et-Marne, soit, de préférence, vers la Tunisie, la Sardaigne, le Maroc où passer des semaines à traînasser et *à nager, aussi bronzé qu'abruti*».

Une lettre de Beckett à Kempf, le 28 février 1979 conseille à El Jadida, l'hôtel Marhaba, à Taroudant, la Gazelle d'Or (où, depuis, Chirac passe ses vacances !), à Agadir, le Marhaba (sans h, sous la plume de Beckett), à Marrakech, la Mamounia (qui fut l'hôtel préféré de Churchill…) Et c'est là que logèrent les participants au Sommet pour l'Emploi, fin 1998.

Vous écoutez les voix de Marrakech ? L'accent marrakchi ?

Vous vous souvenez dans *La Mise en scène* (1958) de Claude Ollier du dépeçage d'un scorpion par des fourmis ?

«Les minuscules points noirs glissent sur la carapace rugueuse, comme s'ils ne pouvaient en venir à bout, et pourtant l'ébrèchent, la transpercent, la vident de son contenu, la sucent, la digèrent et s'affairent sur les débris qui insensiblement s'y amenuisent, s'effritent, se volatilisent.»

Incapable en somme, de m'interdire de m'intéresser à tout, mais pour me cacher quelle forêt d'ombres, quelle source d'opacité insécable ?

Pour l'instant, je découpe, justement, une page de journal en morceaux. Cette façon de récupérer «sur la bête» une part des souffrances d'autrui pourrait avoir quelque chose d'obscène.

Vous vous convainquez de l'excellence de vos intentions : vigilance, compassion, souci de savoir et de faire savoir.

En vérité, vous êtes au chaud, loin des milliers qui sont morts noyés. Et loin de tous ceux qui sont menacés de naufrage.

Bien des choses ne vont pas sur la terre ferme. Vous vous tenez donc au courant, comme une concierge.

Je sais très bien à quoi vous faîtes face : il s'agit simplement du besoin de s'occuper l'esprit. C'est pareil que d'emplir ou de vider un pot de chambre.

Vous n'êtes pas organiquement relié aux souffrances que vous évoquez furtivement : vous vous contentez d'en chaparder des bribes, de mâcher quelques commentaires, de chiquer, comme un tabac, les indices d'un désespoir latent.

Vous vous demandez parfois si l'on peut s'intéresser à un pays comme on s'intéresse à une personne. Vous voudriez rassembler des affects au lieu de vérifier la croissance du produit intérieur brut.

En exil, il ne reste peut-être que cela de presque indiscutable : le taux de croissance du pays perdu de vue, et dont le souvenir vous entête, ou l'avenir, l'avenir !

Vous lisez donc chaque semaine au moins deux hebdomadaires publiés là-bas. Année après année, rien ne vous échappe des petites querelles opposant des groupes de pression, pour autant que la presse s'en fasse l'écho. Et vous constatez, de loin, les avancées des actions que mènent des organisations non gouvernementales. Elles distribuent quelques milliers de cartables aux enfants des écoles qui, lorsqu'elles ne sont pas publiques, sont créées chez l'habitant. Vous vous réjouissez des microcrédits qu'une fondation accorde aux plus démunis de ceux qui veulent créer leur propre activité. Vous apprenez qu'une association se dévoue aux enfants des rues, et mène, à leur intention, une action d'art-thérapie.

Vous apprenez aussi à déchiffrer des phrases que vous savez codées. Lourdes de l'ennui des mensonges. D'ailleurs, elles le sont presque toutes. D'ailleurs, elles le sont toutes. Et les vôtres, les premières ! Cependant, il arrive que l'horreur en arrive à briser le ronron. C'est que la mort par noyade interdit les rodomontades. Et vous pensez alors à des gens, les plus nombreux, dont il ne sera question, et à peine, que s'ils sont morts. Par grappes. Anonymes. Rejetés par la mer.

Lui, l'aventurier, comme il se nomme, repartira. Sans risque de marcher sur les eaux.

Vous avez découpé le récit d'une tragédie. Vous le lisez, vous le relisez.

À qui, à qui cela vous relie-t-il ?

Vous connaissez l'existence d'une barrière métallique de trois mètres de haut sur huit kilomètres, à la frontière entre Ceuta et le Maroc, qui a coûté deux cent millions de francs et cinq années de travail. Ça n'a pas freiné l'entrée des clandestins utilisant l'enclave «espagnole» comme point de passage vers l'Europe.

C'est ailleurs que la tragédie s'est poursuivie. Il s'agit du naufrage d'un petit bateau de pêche entraînant la disparition de vingt-six personnes dans le détroit de Gibraltar.

Voudrait-on une preuve de ce que cet immense malheur *anonyme*, mais pas pour les femmes, les mères ou les enfants, ce malheur des centaines de fois répétés au fil des ans, ne saurait concerner dans leur chair ceux qui n'envisagent pas d'imiter les fuyards, ceux qui ne se nommeraient pas eux-mêmes des «aventuriers» ? — Et l'on s'en félicite pour eux puisque cette «aventure» fait courir un risque vital à ceux qui y jouent le tout pour le tout.

Vous haussez le ton pour indiquer la preuve de l'effacement qui guette le rescapé.

Le quotidien marocain dont vous brandissez une coupure écrit : «Dans ses aveux à la presse, le seul rescapé a expliqué les raisons de l'accident qu'il a attribué à la surcharge du petit bateau.» Ses «aveux» ! À la presse ! Chaque passager en sus des huit à dix personnes que l'embarcation pouvait accueillir sans danger devenait une raison du naufrage.

Vous aimez porter plus loin le raisonnement : nous serions tous une raison du naufrage. Tous, plus suspects les uns que les autres d'indifférence gourmée.

Cette façon de s'envelopper de culpabilité pour mieux se disculper me dégoûte.

Vous feriez mieux de ne rien savoir du monde comme il va.

Je vous observe qui collectionnez des naufrages comme d'autres collectionnent les porte-clés. Vous laissez tintinnabuler l'écho étouffé de supplices qui sont devenus l'ordinaire des jours, pour des personnes innommées.

Vous vous tenez, en fait, résolument du côté des heureux du monde.

— …

— Je voudrais que «le seul rescapé» te hante et les noyés aussi. Milliers. Quant au reste, dans le métro, tu écoutes d'une oreille distraite l'homme qui te tend la main tandis que tu écris ces derniers mots, les siens : «Actuellement au chômage, sans ressources, S.D.F., je passe parmi vous pour avoir de quoi rester propre et manger chaud.»

KAFKA À KHENIFRA

Maati Kabbal

— Et si tu venais à Khenifra ?

— Pourquoi pas ?

Très tôt le lendemain matin, je prenais l'autocar pour le Maroc central. Avant le départ, les mendiants défilèrent. Le bossu, le bigleux, la veuve... Certains invoquèrent Moulay Bouazza, le saint homme qui «ordonna à la vache morte de ressusciter — ce qu'elle a fait». Un autre avoua sa honte de ne plus pouvoir nourrir ses trois femmes et ses neuf rejetons. Il y eut enfin le joueur de *guembri** — de grands yeux et plus de dents. Celui-ci ne gémit pas sur son sort, comme les autres, mais il lança un défi aux voyageurs : si sa prestation ne leur plaisait pas, il leur payait le billet du retour. Et coinçant son guembri entre l'épaule et le menton, il se mit à chanter la chanson du Viagra :

— Le Viagra, mes amis, c'est l'extase, c'est la jeunesse...

Et il chanta, en prose rimée, la complainte du vieillard qui retrouve sa vigueur, répudie sa femme, brade terre et bétail, s'entiche d'une petite jeunesse qui lui vide les poches et lui brûle le cœur en sept jours, et personne au cimetière pour l'accompagner à sa dernière demeure.

— Pilule après pilule, le Viagra tue l'amour...

Ce fut un triomphe. Presque tous les voyageurs lui don-

* Petit luth marocain à long manche et à trois cordes pincées.

nèrent une pièce. Quand le chauffeur grimpa dans l'autocar, le chanteur dit au revoir aux voyageurs :

— Souvenez-vous du Viagra!

Le chauffeur prit le micro et annonça :

— Nous partons dans un instant. La Compagnie de transport El Hajja Ghlima et Fils vous souhaite la bienvenue ! Pendant le trajet qui va durer cinq heures, vous pourrez voir le film *Terminator II*, suivi de *K.O. fatal* avec le célèbre acteur Jean-Claude Vandamme.

Un dernier voyageur monta à bord et vint s'asseoir à côté de moi. Il enleva ses lunettes noires et s'adressa au chanteur :

— Dehors ! Vous salissez le pays ! et vous importunez les gens ! Qu'Allah vous maudisse jusqu'au jour du Jugement dernier !

Il se tourna vers moi et me dit, l'air de me dévoiler un secret de première importance :

— Le malheur, c'est que le chauffeur est de mèche avec ces types-là. La canaille ! Ils se partagent le butin. Par-dessus le marché, il est complice avec des cafetiers et des bouchers. Vous verrez, tout à l'heure, il s'arrêtera devant ces commerces. Tout ça, pour plumer les voyageurs.

Bientôt, le car sortait de la ville. Tandis qu'un vent chaud faisait voler des sacs de plastique sur la route, et que la combustion des ordures emplissait l'air d'une odeur pestilentielle, Terminator et son ennemi Cyborg de la quatrième génération, s'engageaient dans un combat sans merci. Anticipant les événements, mon voisin m'expliqua :

— Regardez... Cyborg va enfoncer son doigt dans le crâne du gardien... Vous allez voir, le camion va lui passer dessus comme une mouche géante...

Et il continua à tout me raconter, scène par scène.

Au milieu du film, nous arrivâmes à Fqih Ben Saleh et le chauffeur gara l'autocar devant «Les grillades familiales». Comme Boujniba, Khouribga et d'autres — Fqih Ben Saleh est une ville sans histoires. L'atmosphère y est d'une telle intimité que le voyageur s'y sent en exil. On raconte qu'il y a très, très longtemps, l'endroit était sous l'eau et qu'en se retirant l'Océan a laissé ses entrailles dans les profondeurs souterraines de ses plateaux. Lorsque les Français débarquèrent et y découvrirent du phosphate, ils chassèrent les paysans de leurs terres et les refoulèrent dans des grottes humides. Ici, les chiens sont d'humeur métaphysique. Ils n'ont de cesse d'interroger l'étranger, le poursuivant jusqu'à la sortie de la ville. Comme je proposai à mon voisin de lui offrir un sandwich et un thé à la menthe, il ouvrit un sac en plastique et en sortit un poulet rôti aux olives et aux citrons.

— On ne peut pas rouler les voyageurs deux fois, dit-il. Ils ont pigé les combines du chauffeur. Personne ne déboursera un centime !

Et tout en parlant, il buvait de longues gorgées d'une bouteille de Coca-Cola remplie de thé. Il montra du doigt les agneaux suspendus à la devanture de la boucherie.

— Qui me dit que ces prétendus agneaux ne sont pas des chèvres? Je me souviens encore du jour où tous les voyageurs ont eu la courante. On s'est arrêté si souvent, qu'on est arrivé à destination avec cinq heures de retard. À mon avis, ce pays a besoin d'un Terminator pour le purifier des corrompus, des charlatans et des contrebandiers. Qu'en pensez-vous ?

Je répondis que je venais de rentrer de France, que si j'avais lu et entendu pas mal de choses, cela ne suffisait pas pour avoir une idée précise de la situation du pays.

— Mais mon ami, vous êtes fou ! s'exclama-t-il. Alors que tout le monde, ici, ne pense qu'à fuir à l'étranger, vous, vous rentrez !

Je lui citai une chanson de Dahman El Harrachi :

— «Ô toi qui pars, où que tu ailles, tu t'ennuieras et tu reviendras...»

— Et pourquoi allez-vous à Khenifra, au juste ?

Je lui expliquai que je rendais visite à deux amis très chers, que nous avions, tous les trois, fait nos études dans les universités de Paris avant d'y enseigner. Mes amis avaient fini par rentrer au pays pour y être nommés tous les deux dans cette ville, où ils s'étaient mariés et installés. L'un, professeur de littérature comparée, avait été affecté au Service de l'Irrigation et de la Betterave. L'autre, spécialisé dans la philosophie de Deleuze, s'était vu attribuer un poste à la Caisse nationale de la Promotion !

— Et vous ?

— Moi, j'ai étudié la généalogie arabe. Vous croyez que j'aurai plus de chance qu'eux ?

— Si vous échappez à la matraque, cher ami, ce sera déjà pas mal ! Pour le reste, nous sommes tous entre les mains de Dieu !

Nous éclatâmes de rire tout en continuant de boire du thé au goulot à tour de rôle.

Lorsque le car serpenta dans les virages de l'Atlas, quelques voyageurs se mirent à rendre tripes et boyaux dans des sacs en plastique qu'ils balançaient par les issues de secours pendant que Terminator et Cyborg continuaient à ferrailler. Après chaque mauvais coup, Cyborg rassemblait ses membres d'acier liquide et se lançait de nouveau aux trousses de l'enfant et de sa mère que protégeait Terminator.

Par la fenêtre, on voyait l'étendue des dégâts provoqués par la chaleur : les plateaux desséchés, le sol craquelé. Un paysage qui me rappela le désert de Hadramout vu de l'avion lors d'un autre voyage. Ce jour-là, j'avais soudain compris l'errance du poète du désert, le fou d'amour, et le feu de la passion jailli du cœur brûlant de la terre.

La voix du chauffeur me ramena à la réalité. Il annonçait un barrage de gendarmes et nous demandait de préparer notre carte d'identité. Lunettes noires, épaisse moustache, un gendarme monta dans l'autobus. Il jeta un regard circulaire sur les voyageurs, la main sur le revolver accroché à sa ceinture, et descendit. À treize heures, après le quatrième arrêt, le car s'ébranlait de nouveau, soulevant un nuage de poussière. Sur l'écran, Jean-Claude Vandamme tourbillonnait, écrasait de coups de pied des visages et des ventres, avant de s'envoler en un numéro de voltige spectaculaire applaudi par les voyageurs, et de retomber sur le camion qui roulait à tombeau ouvert vers les banlieues de Chicago.

— C'est la première fois que vous allez à Khenifra ? me demanda mon voisin.

Je lui expliquai que la présence de mes amis devrait atténuer le dépaysement et faciliter mon séjour. Il demanda au chauffeur de s'arrêter à l'entrée de la ville. Et avant de descendre, il me serra la main et me conseilla de me méfier des voyous.

Un peu plus tard, l'autocar arrivait à la gare routière. Brouhaha des voix, bruits habituels, odeurs. J'attrapai ma valise, descendis. Je fis quelques pas et entendis la voix familière de mon ami Abderrahim :

— Il a fait un bon voyage, le Tocsin ?

Mes deux amis me surnommaient ainsi à cause de mon «peptimisme» naturel. Je lui demandai des nouvelles de sa femme.

— Elle est enceinte de cinq mois. Et toi, lui dis-je, en désignant sa bedaine du doigt ?

— Repos et méditation.

Jilali nous attendait au Bar de la Gaieté. Nous nous rendîmes tous les trois chez Abderrahim. Une vaste maison. Après un bon repas arrosé de quelques verres, nous nous mîmes à évoquer le passé, et à raconter à Aïcha — invitée en mon honneur par Abderrahim — les tempêtes parisiennes auxquelles nous avions réussi à nous arracher sains et saufs. Au début, je ne trouvai pas la jeune fille particulièrement attirante mais, comme la soirée avançait, sa timidité disparut et elle retrouva son aisance naturelle. Elle chanta d'une voix exquise des chansons de Rouicha en ondulant de tout le corps d'une manière fascinante, prélude à ce qui suivit lorsque je me retrouvai seul avec elle. Elle était ravissante.

Vers quatre heures du matin, après de longues étreintes amoureuses, nous sursautâmes quand on frappa violemment à la porte.

— Police! Ouvrez !

Au commissariat de police, on nous fit attendre, Aïcha et moi, durant près d'une heure dans une salle crasseuse et glaciale. Enfin, un gardien nous poussa dans le bureau de l'inspecteur en chef.

— Bonjour, monsieur Maati!

Stupéfait, je résistai au vertige.

— Oui, c'est bien moi, poursuivit-il. J'étais à côté de vous, hier, dans l'autocar. Une fois par semaine, je traque un nouveau venu et je l'épingle. C'est ma mission. Vos deux amis sont tombés dans le même piège. Ils sont venus pour satisfaire leurs folles ardeurs, eh bien, je les ai enracinés ici à tout jamais. Aujourd'hui, c'est votre tour !

Il me lut le chef d'accusation :

— Le dénommé Maati Kabbal, né à Khouribga, diplômé au chômage, a avoué avoir défloré Aïcha Bent Rahhal, âgée de seize ans, et accepté de l'épouser aux conditions exigées par ses parents...

Puis il me tendit le procès-verbal pour que je le signe, et ajouta en riant :

— C'est quand même étrange! L'État vous envoie à l'étranger au frais du contribuable, et vous vous retournez contre lui en semant la dépravation culturelle dans le pays. Terminator, monsieur, c'est moi.

(Traduit de l'arabe par Mohamed El Ghoulabzouri)

NOS VACHES SONT BIEN GARDÉES

Fouad Laroui

Dans ce train qui m'emporte vers Casablanca, je me tiens debout dans le couloir, le nez aplati sur la vitre, à constater au loin la morne plaine qui défile. Non loin d'ici se déroula la bataille de l'Oued El Makhazine, la fameuse bataille des Trois Rois, en 1578. Je pense à Don Juan à la tête de l'armée portugaise, fougueux et stupide, venu d'outre-océan mener ici une croisade vouée à l'échec.

Quelque part sur ma droite, un clampin apparaît et, bien naturellement, allume illico une cigarette de marque *Favorite*, soit dix fois plus débectante que la *Gauloise*. (Les *Favorite* sont ainsi fabriquées : des gueux souples déployés dans la ville ramassent mille mégots, les triturent, les arrosent de goudron liquide et te vous les servent à l'unité.)

En voilà un (le clampin, donc) qui se fout bien des conseils du *Surgeon General*.

Sur ce s'annonce un autre gazier, l'air fat et le rot volubile, qui entreprend de se glisser derrière nous pour s'en aller vers les water-closets où, sans doute, des urgences le mandent. En temps normal, telle manœuvre n'eût entraîné que des désagréments mineurs, tout juste un effleurement, peut-être l'illusion d'une caresse, mais notre homme promène une panse gonflée à l'hélium et ils nous écrase tous deux contre nos vitres respectives. Moi, [...] je ne pipe mot et consens momentanément à la bidimensionnalité. Mais l'homme à la *Favorite* regimbe salement, n'accepte pas qu'on le comprime, ni qu'on le malaxe, traite le gros d'âne, de brel, de bourrique et de mule.

En voilà un qui ne craint pas la redondance.

À quoi l'autre réplique par un coup de boule dans la cage thoracique du redondant.

Qui enfonce son genou dans le bas-ventre du *brel*.

Qui hennit.

Les voilà qui se saisissent aux cheveux et roulent sur le sol en évoquant leurs mères respectives en des termes probablement diffamatoires.

Je m'écarte, n'ayant de préférence marquée ni pour l'un ni pour l'autre des pugilistes. C'est alors que la porte du compartiment s'ouvre et que surgit, énorme, un troisième pélerin, qui écrase d'autorité ses sabots sur les visages congestionnés de ses frères en Dieu.

Tuméfaction galopante et clameurs au prorata.

Le Gros et *Favorite* se découvrent alors alliés, s'aiment soudain, se saisissent chacun d'une jambe du piétineur qui bascule en vociférant. Ainsi s'inscrit dans la sciure le fameux problème des trois corps, dont le grand Poincaré a prouvé en 1908 qu'il était insoluble.

Mais voici que du magma humain émerge, brandie au bout d'un bras dressé, une carte barrée des couleurs rouge et verte du drapeau marocain. Le troisième larron en excipe pour demander un temps mort, s'extraire du tas et engueuler les autres, je suis flic, bande de paysans, ça va chauffer.

Mais *Favorite* ne s'en laisse pas conter, s'auto-fouille sans ménagements et exhibe lui aussi son joker bicolore, c'est là qu'on a fini de rigoler, embarquons le Gros.

— J'en ai autant à votre service, je suis flic moi aussi, assure celui-ci et il produit le rectangle délavé par l'usage et la sueur.

Les trois halètent, leur cartes à la main, on dirait un brelan d'ânes, ils ne savent plus ce qu'ils doivent faire.

C'est alors que je me rends compte que dans ce coin d'univers un seul homme n'a pas la carte magique et *cet homme, c'est moi.* Je me rue vers le prochain wagon, le trio aux trousses.

— Arrêtez-le ! hurle la force publique.

— Commotion générale, y a d'l'action, pense le vain peuple, un pied dépasse d'un compartiment et je me retrouve à mon tour le nez dans la sciure. N'ayant pas la présence d'esprit de freiner, mes poursuivants s'accumoncellent sur moi et finissent de m'aplatir.

Au moment où, à bout de souffle, les poumons en feu, je me résigne à suffoquer (Tant pis, j'aurai fait mon possible. «Rentrez chez vous développer votre pays, qui a besoin de vos compétences, bla-bla-bla». Ça n'a pas duré longtemps. Adieu), à ce moment précis, déboule un quidam nerveux qui se met à distribuer des claques à la ronde.

Ce doit être un Important. Il y a du galon dans cette impétuosité. On ne gifle pas sans une sérieuse surface politique ou militaire. La taloche sans préalable, c'est au moins du colonel, du pacha ou du commissaire divisionnaire.

Je ne me trompe pas, l'homme s'annonce super-flic, inspecteur général et pire, et il exige des explications. Qu'est-ce que c'est que ce tohu-bohu ? On me désigne du doigt :

— C'est un faux-monnayeur, suppute le Gros.

— C'est un Espagnol, avance *Favorite.*

— Il a volé, estime le troisième bonhomme.

Je montre mes papiers à l'Important, qui se gratte la panse, car il se rend compte que je n'ai pas vraiment le profil de l'Espagnol voleur faux-monnayeur, étant natif d'un village du coin et pourvu d'un diplôme en bonne et due forme délivré par l'Université française. On s'explique. Pourquoi tu as couru ? Réflexe, mon pacha, trois policiers dans mon espace vital, ça en faisait trois de trop. Imminence du désastre... Une seule stratégie : la fuite ! La débandade, à soi tout seul ! Vroum, la clé des champs ! Surtout, ne pas demander son reste...

Que n'ai-je pas dit là... Les voilà presque, les trois archers, presqu'à sangloter d'être à ce point mal réputés.

S'ensuit un long dégagement du garde-côte en chef, la mine douloureuse, la main sur mon épaule, sur l'à quel point on ne les comprend pas, eux autres de la Sûreté, que ce sont eux le bouclier de la Veuve et le couffin de l'Orphelin, faut pas fuir quand on les aperçoit, ça éveille le soupçon, et des p'tits gars comme toi, c'est l'orgueil de la nation et son avenir, frais et bien rasés, nous vous protégeons contre les malfrats, du moment que vous vous tenez à l'écart de la politique.

— Tu voyages tout seul ?

— Ben oui.

Tout se termine au wagon-bar devant une tournée générale de Pepsi-Cola que j'offre à mes amis de la police. Comptez quarante bouteilles, tout le monde se réclame soudain de cette noble profession.

NOUVELLE D'UN BERGER

Rachid O

J'ai vu quelque chose d'étonnant et d'émouvant un soir à la télévision. Il était si beau, si délicat et jeune comme jamais ne le fut un être humain, exactement comme j'ai toujours rêvé d'être dans mon sommeil. J'étais triste et cette image m'a remis un peu d'aplomb. C'était joyeux, et pourtant pas si joyeux que ne l'a été une étrange impression. Je me suis mis à regarder l'émission qui diffusait des images sur le Maroc, même au Maroc on est considéré comme raffiné de regarder Arte. C'était Voyage au Maroc. Je me suis vite ennuyé, au départ, et j'ai tenu bon au lieu de me laisser aller au sommeil qui m'aurait enchaîné. Et puis, presque à la fin, c'était le tout jeune berger soudain dans l'encadrement de la caméra. Lui seul suffisait pour faire déborder le Maroc de touristes avides d'émotions, de sensations pures. Assis sous un arbre pourtant pas immense mais qui le couvrait, les jambes allongées, mi à l'ombre mi au soleil, son troupeau derrière dans une même immobilité, juste lui qui parlait sans cesse, disant : «Voilà. Je m'appelle Saâd et je vais vous raconter moi seul mon histoire car sinon sans doute que personne ne s'y intéresserait.» L'émission aurait voulu peut-être qu'il se plaigne de son analphabétisme. «Je suis un bon fils, j'obéis à mon père qui m'a donné une bonne éducation à rester près de lui. J'ai adoré aller quelques années à l'école, je traversais cette même colline, sans m'y attarder, à regarder les bergers.»

On l'écoutait, puis il se taisait, puis il reprenait. Autrement, il se livrait avec l'esprit à moitié ailleurs. Dans une même envie de parler, il continuait. «Souvent je me réjouis quand le jour touche à sa fin, à l'idée de trouver une lettre venant de mon grand frère émigré en France. Je sais lire et même écrire. Dans chacune de ses lettres, qui me sont d'abord adressées, son affection commence par "Mon très cher petit frère". J'adore lire avec ma voix qui s'élève devant mon père qui manifeste sa fierté tantôt en me regardant tantôt regardant ailleurs l'entourage qui se trouve là à ce moment. L'échange de courrier m'a permis d'apprendre plus et du coup m'a fait devenir l'écrivain du village. La plupart des familles ont un fils à l'étranger.»

Je me sentais dans le même contentement que le berger ou presque. J'ai toujours aimé les images marocaines diffusées sur une télévision française, du moment que les Français s'intéressent à mon pays. J'étais comme si j'avais flâné dans ce paysage dans lequel le petit berger se confondait, fait de douceur. Je me disais que les Français avaient peut-être voyagé avec ce reportage, entendu ou vu quelque chose de beau, joyeux ou triste mais qu'on ne zappe pas. Saâd était reparti avec ce même plaisir qui l'avait fait accepter de se mettre devant les reporters et abandonner pour un moment son troupeau, un plaisir qui ne nécessitait aucune règle, il était simplement là.

LA TORPEUR

Mohamed Tabi

Le train t'aidait à t'enfuir. Il t'emmenait chez toi, hors de la Ville. Tu laissais la soirée se finir sur le rythme binaire de la techno et les paillettes argentées. Tu avais raté le gâteau. Un gros gâteau d'anniversaire au chocolat et à la fraise. Dans le train qui s'échappait, tu succombais à la torpeur; tandis que derrière les fenêtres entrouvertes, les lumières d'un tunnel glissaient. Affalé sur la banquette, tu mélangeais dans tes pensées espérances et souvenirs.

Tu étais parti en voiture. Pour aller à la Ville, il fallait rouler tout droit sur l'autoroute. Et arrivés au bord, une longue rue prolongeait l'autoroute jusqu'à la place Stiba où la soirée avait lieu. En principe, le trajet est facile et rapide. Mais avec JG au volant, le plus important était d'arriver, même s'il fallait passer par place d'Ytes.

La rue repérée, le code composé, la porte s'est ouverte : «Salut ! Ça va ?» «Ça va. Et toi ?» Boum Boum Boum Boum, à entendre, tu as su tout de suite que tu ne resterais pas longtemps. Soirée bourgeoise. Soft. Mais alcools forts. Il y avait presque une bouteille par personne. Au moins une demi-bouteille chacun. Pas mal. Il n'y avait plus qu'à les vider.

Une main dans la poche et un verre dans l'autre, tu attendais d'enclencher ton troisième œil. Tu allais d'une pièce à l'autre. «Pardon, excusez-moi. Excusez-moi, pardon.» Tu as croisé quelques connaissances. C'était un bel appart; trois pièces au total avec un grand salon séparé en deux par un muret blanc. D'un côté la piste, de l'autre, ambiance «on se repose, on bavarde». On s'occupe. Il y avait ceux qui roulaient des joints, ceux qui roulaient des pelles et celles qui roulaient du cul.

C'était l'anniversaire de Julie. Elle en connaît du monde. Ou alors, plus probable, c'était les copains des copines des copines des copains. C'est ce que tu es toi aussi. Mais tu n'étais pas indésirable pour autant. Tout ce que l'on te demandait, c'était de t'amuser. Tant mieux.

Clac. Position caméra. *Stand by. Record.* En plan large pour commencer. Tout le monde t'a regardé. Un type qui jouait les Lelouch en soirée, ça ne pouvait pas passer inaperçu. Sans la caméra, va savoir si on t'aurai remarqué. Tu as balayé de gauche à droite. De droite à gauche. Ça dansait sur la piste, ça s'agitait dans le viseur. Tu t'es attardé sur une belle brune au sourire crispé. Tu ne savais pas si c'est à toi qu'elle souriait, ou à la caméra. Tu as enregistré quelques plans dans la cuisine, quelques conneries glanées ici et là, quelques shows filmés à chaud; JG qui faisait le con devant l'objectif, Festé qui faisait le con devant une fille. Ça fera de belles images. Dommage que tu n'aies pas filmé le gâteau d'anniversaire. La soirée commençait juste. Les batteries étaient pleines. Il n'y avait plus qu'a les vider...

Le train a décidé de ne pas s'arrêter. Les gares défilent. Des blocs de béton façonnés dans l'ombre et la tristesse, collés les uns aux autres sans espoir de se détacher, c'est ce que tu pourrais voir des deux côtés du train. Mais tu regardes le Black qui joue avec son chien au bout du wagon. Tu es pressé de rentrer. Tu as passé une soirée sans surprises. Sauf que là, c'est la première fois que tu filmes ce genre d'ambiance. Mais c'est surtout la première fois qu'il t'arrive un truc pareil. Un truc de fou ! Tu bailles et tu te mets à penser à ce qui t'arrive depuis que tu as acheté ce camescope à Rachid. Tu l'as croisé par hasard, si tant est que le hasard existe.

C'etait la nuit du 26e jour du Ramadan. Il venait de «trouver» un camescope. Un camescope Sony HI8. Avec l'écran-viseur qui pouvait se rabattre. Il l'avait avec lui dans son sac. Quelques minutes plus tard, il était à toi. Tu en avais rêvé, Sony, et surtout Rachid, l'avait fait.

La première fois, c'était le lendemain. Tu t'étais pris pour Scorsese dans la cité. Filmant les uns et les autres. Les Ralph Lauren et les Nike... Tu avais aussi filmé les tours en te disant qu'elles seraient peut-être plus belles à travers l'objectif de la caméra. Il faisait nuit. Tu as plongé dans les hauteurs de la cité. Accrochant ton regard analogique sur les appartements allumés. Zoomant vers le ciel derrière les tours. Un ciel sale mordu par de vertigineuses barres verticales. La cité est à l'image de la fuite. La fuite vers les nuages, la fuite vers un improbable horizon. Tours sombres de Babel aux 50 étages. Longs serpentins de béton qui rampent. Espaces vert-de-gris sur lesquels l'herbe refuse de pousser. Une Ville dans la Ville. Un monde dans un monde. Tu espérais peut-être capturer son essence, la surprendre dans sa colère ou dans sa joie. La surprendre dans ses rêves. Le rêve d'être au volant d'une Mercedès ou le rêve d'aller voir le ciel et la mer. De partir pour vivre ailleurs ou pour vivre tout court. Chacun vivant ou survivant, certains oubliant de vivre. Et tous existant malgré eux dans le viseur de ta caméra, dans ces tours au premier plan comme des arbres qui cachent une forêt.

C'est en visionnant, ce soir là, les images, que tout a basculé. Gros plan sur Mehdi. Il venait de tirer sur un joint gros comme un immeuble. Il avait l'air, comme qui dirait très fatigué. Ce devait être le ramadan.

— Eh, à Biarritz, j'ai vu un reubeu qui avait la même caméra que toi. Et lui, il s'en servait pas de l'écran.

Ta voix off. «Et alors ?» Tu élargis le cadre. Il est perché sur un banc cassé, dans le square François-Mitterand.

— Ben lui il en avait pas besoin. C'est pas comme toi.
— Il savait pas s'en servir. C'était peut-être un Kabyle.
— Va te faire enculer, sale Shleuh !
Tu recules. La caméra tourne à droite. Abdoulaye, walkman sur les oreilles, allumette à la bouche :
— Tu ramèneras ta caméra au ski. On va se faire des bons délires.
— Ouais. Mais je l'emmène pas sur les pistes. On va la péter. Et je peux pas la faire réparer, j'ai pas les papiers. À cause de ça, je peux même pas l'emmener à l'étranger. On peut me casser les couilles à la douane.
Mehdi. «Surtout si tu veux aller au bled cet été !» Il s'éclate de rire.
À ce moment-là, ce n'était pas raccord. Il n'y avait plus le square François-Mitterrand éclairé par les réverbères, mais un soleil éclatant, un ciel azur, un paysage montagneux en plan large. Des immenses roches de couleur bleu sculptées par un burin invisible. Des figuiers de Barbarie, verts, qui forment une armée aux boucliers piquants se dressant ici et là à travers les roches. Une terre rouge qui essaie de retenir l'herbe éparse, jaune comme de la paille. Des arbustes secs et fiers, des fougères clairsemées que mâchent les chèvres qui boitillent. Un troupeau de bêlements répondant au chant des grillons qui se cachent. Les plans se succédaient. Un âne passe. Un homme à la djellaba bleue, sans manches et sans capuche, le suit sur la piste dessinée par les pieds et les sabots. Ils grimpent tous deux lentement sous le soleil vers un village rose et blanc posé sur une pente douce. Tu t'es senti empli de chaleur. Comme si des rayons lumineux s'échappaient de ces images pour t'irradier dans ta stupéfaction. Tu avais reconnu les arganiers massifs et les maisons faites de bois et de pierres. Tu sombrais dans l'évidence. Tu venais de voir les altitudes du pays berbère où étaient nés tes parents. Quelque part dans le sud du Maroc. Incroyable ! Avec ce camescope, quelqu'un avait filmé le bled ! Tu as visionné plusieurs fois les images, jouant du *rewind* et du *for-*

ward, et faisant pause souvent. En tout, tu as eu droit à 5 mn de lumière avant que la pénombre du square François-Mitterrand revienne assombrir l'écran et ton esprit.

Tu t'es d'abord dit que Rachid avait «trouvé» le camescope sur un touriste qui venait du Maroc. Mais quand tu as appelé ton frère pour lui montrer ce que tu avais vu, tout a basculé une seconde fois. «Qu'est-ce que je vois ? Ben, Mehdi qui dit des conneries. Ah ces Kabyles, ce qu'ils peuvent dire n'importe quoi ! Eh, elle est pas mal sa doudoune Ralpho ! Il l'a acheté combien ?» Toi : «Attends, tu vois pas des images du deublé ?» «Non. Je vois un Bylka et un Reunoi foncdés au teushi. Et je crois que toi aussi, t'es foncdé.» Tu n'as pas insisté, comme si tu t'y attendais. Tu savais que c'était le début de quelque chose, conscient que tu avais un modèle unique de camescope Sony.

Pour la forme, tu es parti voir Rachid : «Je te jure, ce camescope je l'ai trouvé dans le train, sous un siège. Au moment de descendre, je vois une sacoche sous un siège... Si c'est pas moi qui l'avais pris... Et puis d'abord, qu'est-ce que ça peut te foutre ? J't'ai fait un bon prix !» Là encore, tu n'as pas insisté.

Dés lors, tu décidas d'en profiter. Filmant tout et n'importe quoi pour entrevoir le soleil : le béton froid, la mine sombre des gens, la pluie sur la Ville. Seulement, tu t'es vite rendu compte que la caméra était aussi dotée de caprices. Les images de l'autre monde venaient éclairer l'écran de manière aléatoire, sans prévenir. Sur une poignée de fois, elles te faisaient toujours voyager quelques minutes dans cet ailleurs que finalement tu connaissais à peine. Une vallée verte au printemps, des hommes qui moissonnent à mains nues, des femmes qui se réunissent la tête couverte sur le pas d'une maison. Filmer devenait pour toi un prétexte et un espoir.

Tu es loin de la Ville maintenant. La Ville qui crève de chaud, qui tente de respirer au-dessus des nuages gras et qui s'étouffe lentement. Et tu es là comme un con, étouffant avec elle, le cul collé sur la banquette Il ne reste plus que trois gares avant d'arriver chez toi. Tu regardes s'il te reste assez de batteries. C'est le cas. Tu rembobines. Tu déplies l'écran. Tu es fébrile. Cela ne sert à rien d'attendre d'arriver chez toi.

Dans le cadre, les corps bougent dans la pénombre du salon. Pas toujours en rythme. De gauche à droite, de droite à gauche. Les regards se tournent vers la caméra. Faux sourires ou vraies grimaces. Trop sombre. Tu regardes et tu t'en fous : tu connais le film. Tu fais avance rapide. Et la lumière fut ! Soudainement, la mélopée des femmes en bande-son. Des hommes s'activent. Les djellabas sont blanches comme les tarbouches qu'ils portent sur le crâne. Sur des petits braseros en terre cuite, des dizaines de tajines mijotent. Passés en revue, ils reçoivent tous quelques lamelles de poivron balancées par un homme à la moustache qui sourit. Ce doit être une fête. Certainement un mariage. Tu l'as tout de suite compris. Dans ce genre d'occasion, dans ces montagnes, les hommes sont au fourneaux. Ils sont sous une bâche, régnant sur cet empire de tajines. Ce sont des maîtres. Jusqu'à cinq fois par jour, ils coupent la viande et les légumes, soufflent sur les braises et veillent sur le frémissement des couvercles. Ils sont le centre névralgique de l'organisation. Ils nourrissent tous les hommes et toutes les femmes venus célébrer pendant trois jours l'union de deux êtres et de deux villages. Zoom avant. Il est assis à la turque, un turban enserre sa tête qui dodeline. Ses yeux sourient. Il bat la mesure avec ses mains. Il écoute les chants d'amour des femmes. Elles doivent être sur le toit plat où l'on fait sécher les figues. Vêtues de jupes noires bordées de couleurs vives, soudées dans leur balancement, avec leurs voix vibrant à l'unisson derrière leur voile blanc. Elles chantent les larmes et la joie d'une jeune fille qui part, qui va devenir femme. Tu te dis que tu vas sûrement les voir à l'image. Tu espères pénétrer dans ces pièces où bruissent les rires, où les yeux se dévoilent. Voir ces femmes, adolescentes et grand-mères, qui se reposent et qui mangent le tajine préparé par les hommes. Ces femmes qui portent les branchages, qui puisent l'eau et qui accouchent loin des hôpitaux de la ville. Voir les hommes dans le patio, les yeux au ciel, envoûtés par le chant des femmes sur le toit. Hélas, tu n'en verras pas plus. Une brune avec des paillettes dans les cheveux a fait son apparition, en gros plan sur son sourire extasié. «Merde !» Tu en veux au camescope. À quoi ça rime ? Deux minutes sur des types en train de préparer des tajines ! Cela fait deux mois que tu n'as pas eu d'images de là-bas, deux mois à filmer des conneries en attendant un signe du camescope ! Tu parles d'un signe ! Un coup à aller voir direct le service après-vente ! Tu fais défiler rapidement les images de la soirée : rien d'autre. Clac ! Off.

Ce nouveau caprice de la caméra te plonge encore plus dans la confusion. Tu ne sais plus quoi penser. Pourquoi des images du sud marocain ? Quitte à te faire ouvrir les yeux sur ton pays d'origine, pourquoi la caméra ne te montrait pas d'autre régions, d'autres panoramas ? Un champs de cannabis dans les montagnes du Rif ou les neiges d'Ifrane ? La corniche d'Agadir ou la grande mosquée Hassan II à Casablanca ? En tout cas, tu savais, au fond de toi, qu'elle s'accordait sur ta vision du Maroc : le quelque part de tes racines.

Tu es tout seul dans le wagon. Tu fermes les yeux; les souvenirs du Maroc envahissent ton esprit. Des souvenirs en couleurs venus de très loin. Des souvenirs de mer, de montagne, de soleil... et de famille. La tribu de ton père, la tribu de ta mère, tes cousins, tes cousines. Ceux et celles qui ne t'ont jamais vu, ceux et celles que tu as oubliés. Tu penses à ce que t'a dit ta mère, en partant : «Tu devrais venir, ça va te faire du bien. Si tu changes d'avis, tu auras raison.» Tous les ans, c'est pareil. «Alors, tu viens avec nous ?» C'est ton père qui parle. Et c'est toi qui ne sait pas. Qui hésite entre travailler tout l'été chez Quick Burger ou travailler tout l'été chez MacBurger. Pour gagner de l'argent. Pour partir, à la rentrée, aux États-Unis, avec tes potes. Partir à l'aventure, avec ton sac à dos, sur la côte est. Partir à la découverte des Américains, et plus spécialement des Américaines. Cela fait déjà deux fois que tu y vas en vacances. Bref, une fois de plus, le bled n'était pas prévu au programme. Et comme chaque année, tu penses aussi à l'appart que tu vas avoir pour toi tout seul. De toute manière, on ne te force pas à y aller.

Sauf que là, en fait, c'est pas pareil. Tu as eu droit à un truc à la *X-Files*.

Les images du bled que te transmet la caméra sont inexplicables. Et encore, si on part du principe qu'il faut une explication à tout. Tu as vu là comme un signe du Destin. Un signe balèze. Ça fait huit ans que tu n'as pas été là-bas, coupant inexorablement les liens invisibles qui te relient à ce pays, à cette terre. Tu sentais malgré tout comme un appel, un nouveau lien se créant lentement par le biais de cette caméra. Ces images avaient un sens. Elles étaient un reproche et une invitation.

Le prochain arrêt était pour toi. Tu vas enfin rentrer. C'était la seule chose à faire. Tu as passé une mauvaise soirée.

Il te fallait un signe, mais tu ne t'attendais pas à celui-là. Cela relevait plus du complot. Un coup à l'estomac. Tu en as eu les larmes aux yeux. Des larmes de rage. En même temps, tu voyais plus clair : tout cela n'était qu'évidence. C'est au moment où les portes du train se fermèrent, après le signal de fermeture, que tu t'es dit qu'il y a parfois des volontés qui nous dépassent. Tu venais d'oublier le camescope dans son sac, sous un siège.

Oublié la côte est, c'est au soleil couchant que tu iras. Tu voulais de l'aventure, te voilà servi. Tu partiras à la fin du mois. À l'agence de voyages, une employée t'a souri en te donnant ton billet. Il était bientôt l'heure de sortir de ta torpeur.

PERSONNES

Mohamed El Atrouss

L'enfant :

L'enfant assis au fin fond de l'école du quartier rêvait… rêvait… rêvait…

Rêvait d'une jolie fille, de chaussures neuves et de l'Aïd proche. Dans sa main droite une pomme, qu'il croquait avec empressement. Et il riait… riait… riait…

Mais la sonnerie fit sursauter l'enfant au fond de l'école, tremblant, un morceau de pain sec dans sa main droite. Las, il grignotait son morceau de pain. Il le grignotait… grignotait… grignotait…

L'homme :

L'homme, qui ne quittait jamais le boulevard En-Nasr, se tenait au réverbère, et poursuivait des yeux le derrière des fillettes, puait le vide et l'ennui. Sortit de sa poche un paquet de cigarettes, en prit une une, l'alluma, souffla la fumée en volutes qui montaient… montaient…

Il la suivit du regard… Ses yeux se fixèrent sur la fenêtre de l'appartement d'en face. Son regard passa à travers la petite ouverture de la fenêtre et en extirpa des regards gourmands et des yeux illuminés. Il contraignit l'ombre à un sourire libidineux. Il fit signe qu'il attendrait demain.

Il reçut comme une gifle un cri venant de l'intérieur de la maison. Il jeta le mégot par terre, l'écrasa avec dégoût et entra pour recevoir des mains de sa femme le petit, pour l'emmailloter et le garder.

La femme :

Elle se parfuma, se fit belle, regarda l'homme couvant le bébé rêveur, tout en mâchant un chewing-gum avec minauderie, prononça une série de mots incompréhensibles, des formules incantatoires, puis elle partit.

Dans le boulevard principal, une voiture luxueuse l'avala : elle fit la difficile... se donna des manières... s'adoucit... sourit... rit... tout en mâchant le chewing-gum, puis monta.

Le policier :

Planté, comme à l'accoutumée, derrière l'arbre à la sortie de la ville. Impatient, il attendait sa proie dans l'espoir de tirer le prix d'un dîner ou de quelques bières.

Il scrutait... attendait... scrutait... soudain, il vit pointer à l'horizon une voiture luxueuse... se cacha derrière le tronc de l'arbre... l'observa à travers les branches. La voiture fonçait à toute allure. Il réfléchit : elle pourrait être à (...). Hésita mais décida enfin de sortir de sa cache...

Il se planta au bord de la route... observa longuement la plaque de la voiture. Il crachota : elle n'en fait pas partie. Leva la main, pour faire signe au chauffeur de stopper. Celui-ci, écrasé entre le siège et le volant, surpris, hésita, réfléchit, ralentit, écrasa la pédale du frein puis s'arrêta. Ôter ses lunettes noires et fit signe à la femme qu'il n'y avait rien à craindre. Le flic fronça les sourcils, s'approcha avec arrogance, la main droite sur son flingue, scruta la voiture, regarda l'homme, la femme... le chewing-gum l'intrigua. Sûr de son coup, il observa, encore une fois, le mouvement des mâchoires de la femme puis l'homme. Il demanda : qui est-ce ?

L'homme tendit un billet. Le flic sourit... ses traits se détendirent... Son arrogance brisée, il regarda à droite puis à gauche, rassuré, prit le billet et fit le salut.

La fillette :

Usée par la solitude, rongée par le silence sauvage, elle supplia sa mère de l'autoriser à sortir. Elle frappa à la porte de la maison voisine qui s'ouvrit sur un garçon. Ils sourirent l'un à l'autre, prirent la direction de la chambre, se mirent d'accord pour jouer le jeu des époux… glissèrent sous le lit et firent de ce coin de la chambre — sous le lit — leur lit. Le bébé poussa un cri dans les bras de l'homme qui le couvait. L'homme entra dans la chambre, rit de la position des deux enfants puis sortit en fermant la porte derrière lui. Le garçon sur la fillette, ils jouaient le jeu des deux époux.

(Traduit de l'arabe par Abdellatif En-Nougaoui)

LE MANDAT

Leïla Safraoui

Le soleil se levait sur la vallée enchantée. Les troupeaux convergeaient vers les pâturages. Les jeunes bergères entonnaient leurs chants habituels pour se donner du courage. Les écoliers entamaient leur trajet de trois kilomètres qui les séparaient de la bâtisse jaunâtre leur servant d'école, conscients de leur privilège, contents d'échapper aux besognes quotidiennes et aux travaux des champs. Le village berbère, perché dans la montagne de l'Atlas, se réveillait.

Au hameau des Aït Ibrahim, en cette période de cueillette des roses, les préparatifs allaient bon train. Le moussem des roses rythmait la vie des tribus voisines. Bientôt, on élirait «Miss Rose». Vêtues de beaux costumes traditionnels, parées de bijoux en argent, les candidates défileraient sous une pluie de pétales de roses lancées par des jeunes filles, encouragées par les youyous.

Zaina faisait partie du jury, comme à l'accoutumée. Connue pour son honnêteté et sa bonté, elle était la confidente de ces demoiselles, à qui elle prodiguait ses conseils. Elle vivait seule, depuis que son unique fils, Houcine, était parti travailler en France. Elle avait perdu trois enfants, emportés par la maladie, résultat d'un mariage consanguin. Zaina les pleurait chaque jour. Dans ses prières, elle demandait à Dieu la clémence pour ceux qu'elle n'avait plus, et la bénédiction pour l'aide que lui fournissait son fils.

Son lopin de terre ne suffisait pas à couvrir ses besoins.

Houcine lui faisait parvenir de l'argent par des amis ou par la poste. Le facteur passait rarement chez elle pour lui remettre du courrier. Une fois par trimestre, il lui donnait le reçu permettant de retirer le mandat à la poste.

Zaina avait le pressentiment que le jour du mandat allait arriver. Elle se rendit dans la remise, pour chercher de quoi faire son pain, comme elle le faisait tous les deux jours. Elle constata que les aliments de base allaient vite lui faire défaut. Elle aurait voulu faire ses provisions au souk, à l'approche du mois de Ramadan, mais pour l'heure ses finances ne le lui permettaient pas.

Accroupie dans sa petite cuisine, Zaina disposa soigneusement le peu de farine qui lui restait, ajouta du sel et de la levure. Elle s'apprêtait à verser de l'eau quand elle entendit frapper à la porte de sa maison. Elle traversa l'étable, bouscula sa chèvre et fit voler les poules.

— Il y a quelqu'un ?

Zaina ouvrit la porte à demi.

— J'ai failli repartir, je pensais qu'il n'y avait personne. Voici ta lettre, mais désolé je n'ai pas le temps de te la lire : je dois distribuer ce gros paquet dans un village de l'autre côté de la montagne. Trop c'est trop ! Je ne peux pas, à moi seul, faire tout ce travail ! Les distances sont trop longues, je suis usé, autant que mes semelles. D'ailleurs j'ai dû les changer encore une fois hier. Mohamed, le garagiste, a eu la gentillesse de me découper un morceau de pneu.

— Je te comprends. Tu dois d'abord t'occuper de ton travail. C'est déjà un énorme plaisir pour moi de recevoir ce courrier. Que Dieu guide tes pas.

Zaina mit l'enveloppe dans sa poche et referma la porte. Elle alla pétrir son pain puis le laissa reposer.

Elle prit son haïk noir, le jeta sur ses épaules, resserra son foulard et se rendit chez la fille d'une de ses amies qui avait son certificat d'étude.

«Chère mère, tout va bien, je te passe un très grand bonjour. J'ai déménagé il y a un mois pour me rapprocher de mon lieu de travail. Je viens début juillet, mon séjour sera plus long que d'habitude. Je t'envoie ce mandat. Chère mère, je te charge de me choisir une épouse. Je t'embrasse affectueusement. Houcine.»

Elle se rendrait au village de Bouifaden le lendemain, au lever du jour. Aller à la poste était pour elle une expédition : le bureau de poste se trouvait à plus de 45 kms. Elle voulait retirer le mandat le plus tôt possible. Zaina eut du mal à trouver le sommeil, assaillie par mille et une idées.

Elle se leva plus tôt que d'habitude. On entendait déjà les clochettes des chèvres dévalant les montagnes. Un berger descendait son troupeau. Elle salua Lhou, l'ami d'enfance de son fils, avec lequel elle échangea quelques mots avant de poursuivre son chemin.

Cela faisait bien un quart d'heure que Zaina attendait l'unique navette. Elle ignorait l'heure de passage de l'autocar.

Un camion apparut au loin, se rapprocha, puis s'arrêta.

Un homme d'une quarantaine d'années, habillé d'une djellaba, une taguia sur la tête, une cigarette à la bouche, baissa la vitre.

— Bonjour. Voulez-vous que je vous dépose ?

— J'attends l'autocar qui va à Bouifaden.

— C'est aussi ma direction. Vous allez devoir attendre, il n'est que six heures. Le bus passe à sept heures.

Il insista pour l'accompagner, elle hésita un instant avant de monter dans le camion.

— Vous allez rendre visite à des parents ?

— Non, je dois passer à la poste, retirer l'argent que m'a envoyé mon fils, qui habite en France.

— Je vous y accompagnerai. Et comme j'ai moi aussi une commission à faire, je pourrai vous ramener. La poste ouvre à huit heures et demie, il vous faudra attendre.

— J'attendrai. L'essentiel pour moi, c'est d'y arriver.

— Dans quelle ville habite votre fils en France ?

— À Paris, là où mon mari a travaillé pendant de longues années. Il était gardien dans une société et il vivait seul.

J'étais contrainte de rester au pays avec mon fils pour m'occuper du champ que nous possédons. Lorsque mon mari est décédé, mon fils a pris à son tour le chemin de l'exil.

Le moteur grondait, lâchant une fumée noire. Une odeur nauséabonde de mazout et de tabac se répandait dans la cabine. Ils ne croisèrent aucun autre véhicule.

— Que transportez-vous dans ce camion ?

— Cela dépend de mes clients, du bois, du blé, parfois du bétail.

Il ajouta fièrement :

— Voyez-vous, chère Madame, aujourd'hui j'ai l'honneur de transporter des pétales de roses pour la distillerie.

À l'horizon, la lueur du soleil laissait deviner le minaret de la mosquée trônant sur le village de Bouifaden.

Avec une bonne heure d'avance ils arrivèrent sur la place principale. Un bâtiment à l'architecture coloniale regroupait les différents services administratifs, dont le bureau de poste. Plutôt que de rester avec un inconnu à attendre l'ouverture, Zaina préféra rendre visite à sa cousine, même si l'heure n'était pas tout à fait appropriée. Elle alla chez l'épicier, acheta deux pains de sucre et les mit sur son dos en les nouant avec un bout de son haïk.

Elle passa devant la Kissarya, ensemble d'échoppes au cachet traditionnel. Bijoutiers, artisans, marchands de tissus, marchands de tapis, tous préparaient leurs étals en se souhaitant une bonne journée.

Elle arriva enfin à la fontaine, point de repère pour retrouver la maison. Elle frappa fort en appelant Touda, sa cousine, à haute voix.

Le mari ouvrit, avec une mine défaite. Ils s'embrassèrent.

— Bonjour Larbi. Comment allez-vous ?

— Très mal, répondit le mari, la larme à l'œil, en invitant Zaina à rentrer dans le salon. Touda est morte il y a deux jours. Nous n'avons pas eu le temps d'envoyer quelqu'un pour vous prévenir au hameau des Aït Ibrahim.

Zaina était abasourdie. Elle s'assit par terre, au milieu de la pièce et se prit la tête entre les mains. Elle avait l'œil hagard. En relevant la tête, elle vit sur un métier à tisser un tapis inachevé aux couleurs vives et aux motifs traditionnels.

— Elle travaillait jour et nuit pour l'achever, murmura Larbi, un cadeau pour sa sœur qui se marie dans deux mois.

Zaina sortit les pains de sucre et les posa sur une table basse, avant d'éclater en sanglots. Les enfants de la défunte, qui pleuraient, sautèrent à son cou. Elle donna une pièce à chacun.

— C'est un immense plaisir que tu sois avec nous pour partager le couscous, dit Larbi.

— Je vous jure, je ne peux rester plus longtemps, je suis venue en coup de vent, j'ai un mandat à retirer à la poste.

— Attends au moins le retour de Fatima.

La sœur de Touda ne tarda pas à revenir. Elle salua tout le monde et s'empressa d'aller préparer un thé à la menthe.

Zaina demanda la cause de la mort de cette jeune femme de 36 ans. Personne ne sut lui donner une réponse claire. On évoquait des éléments surnaturels, ce qui avait empêché de la sauver. Elle avait été emportée à la suite d'une forte fièvre au lendemain d'une nuit passée dans le cimetière où elle pleurait son fils, décédé d'une hémorragie cérébrale.

Fatima posa le plateau. Il y avait du pain chaud et du beurre frais. Elle présenta un verre de thé à Zaina qui la remercia :

— Que le Tout-Puissant vous apporte son aide, nul ne peut lutter contre sa volonté. Nous provenons de lui et à lui nous retournons. Que Dieu vous donne le courage de supporter cette douleur. C'était son heure, sa destinée, c'était écrit.

Les membres de la famille affluèrent. Les amies et les voisines se rassemblaient pour cette journée marquant le troisième jour de la mort de Touda. Zaina n'avait pas revu sa cousine depuis son adolescence, ce furent des retrouvailles dans la tristesse. Elle assista à des scènes de démence.

Certaines femmes n'arrivaient pas à se maîtriser. L'une d'elles déchira sa djellaba, ôta son foulard, s'arracha une touffe de cheveux avant de s'évanouir.

— S'il vous plaît, gronda Fatima en s'adressant à un petit groupe, soyez fortes et dignes, laissez Touda reposer en paix.

Au troisième jour du décès il est de coutume de distribuer du pain, des dattes et des figues sèches. Les jeunes femmes de la famille, les plus braves et les plus rapides, s'agenouillèrent pour pétrir le pain, les gestes coordonnés, le foulard bien serré. Trois d'entre elles faisaient claquer la pâte, c'était un ballet silencieux, une véritable chorégraphie. Leurs galettes seraient distribuées le jour même aux nécessiteux.

Zaina s'excusa de ne pas pouvoir rester plus longtemps et sortit pour aller à la poste.

Elle se dirigea d'un pas décidé vers la place principale. Le sentiment qu'elle éprouvait dépassait la tristesse. Elle avait baigné pendant près d'une heure et demie dans cette ambiance et en était encore imprégnée.

Elle retrouva ses esprits devant le bureau de poste, quasiment vide. Une femme criait à tue-tête dans une cabine téléphonique, comme si son interlocuteur était à l'autre bout du monde. Zaina sortit son enveloppe et se présenta au guichet.

— Bonjour, c'est pour un mandat s'il vous plaît.

Le receveur lui tendit les billets et lui recommanda de bien recompter les trois mille cinq cents dirhams.

Elle plia soigneusement la liasse et la mit sur sa poitrine, dans ses sous-vêtements.

Le chauffeur l'attendait dans son camion.

— J'ai terminé mes affaires au village. Si vous n'avez rien de particulier à faire, prenons la route immédiatement, pour éviter la canicule.

— Je ne sais vraiment pas comment vous remercier, monsieur, cela me rend un grand service. Dieu vous le rendra.

— Je le fais avec plaisir, d'autant que c'est sur mon chemin.

La splendeur du paysage émut Zaina. Elle se retourna pour regarder Bouifaden, au creux de la vallée. Les toits de chaume formaient un noyau autour duquel s'élevaient les kasbahs. À la vue du cimetière elle eut une pensée pour sa cousine. Elle se souvenait des instants passés avec elle, dans la grande demeure familiale, des poupées de roseau qu'ensemble elles confectionnaient.

Le camion s'arrêta pour laisser passer un troupeau de moutons conduit par des nomades en transhumance, à la recherche d'un point d'eau. Les hommes coiffés d'un long turban, les femmes aux cheveux tressés. Le monde leur appartenait. Zaina éprouvait beaucoup d'admiration pour ce peuple dont elle était issue.

Le conducteur poursuivait sa route sans dire un mot, moins entreprenant qu'à l'aller.

La plaine avait fait place à la montagne. Zaina regardait la route se dérouler paresseusement à travers les collines, le voyage semblait interminable.

Au détour d'un virage, la route sinueuse révéla soudain une piste puis un sentier. Le conducteur n'emprunta pas la route du hameau.

Surprise, Zaina demanda :

— Où m'emmenez-vous ainsi ?

Le silence du chauffeur transforma son inquiétude en angoisse. Il s'arrêta brusquement.

Les mains agrippées au volant, la mâchoire serrée, son visage exprimait la haine. Elle vit sa main fouiller la poche de sa djellaba. Brandissant une lame d'acier, il hurla :

— Donne ton argent et n'essaie pas de te débattre.

Zaina regarda autour d'elle, s'accrocha à la portière, paralysée par la peur. Que faire ? Personne à qui demander de l'aide.

Il descendit du camion et la tira violemment par le bras.

— Qu'est ce qui te prend, tu perds la tête ! Je t'en conjure, aies pitié ! Ferais-tu cela à ta mère ?

Terrorisée, Zaina n'avait d'autre choix que de lui tendre

l'enveloppe. Il la traîna par les pieds dans les cailloux et les ronces. En écartant les buissons, il trouva un puits et y poussa la vieille femme.

Il s'apprêtait à s'enfuir lorsqu'il entendit une plainte. Il hésita un instant, la malheureuse était toujours en vie. Il fallait l'achever. Il chercha une grosse pierre pour lui fracturer le crâne. Mais, quand il se pencha pour la soulever, une vipère surgit. Il n'eut pas eu le temps de réagir. La morsure le fit suffoquer. Un cri résonna dans la montagne tel le glas de la mort.

Zaina ne cessa d'appeler au secours tout en se cramponnant à la paroi du puits, pour ne pas glisser au fond. Elle resta ainsi toute la matinée.

La présence du camion sur la piste attira la curiosité d'un garde forestier, qui se mit à la recherche de son propriétaire, en suivant les traces de pas. Il découvrit le corps, gisant près de la grosse pierre. Le garde forestier remarqua la morsure du reptile et poussa un cri.

Zaina l'entendit et se remit à demander de l'aide. Il s'approcha prudemment du puits.

Zaina cria plus fort :

— Je suis épuisée. De grâce, aidez-moi.

Elle sentit une boule se former dans sa gorge et les larmes lui monter aux yeux.

— Rassurez-vous, Madame, vous êtes sauvée. Je vais alerter la gendarmerie.

DANS L'OMBRE DES MURS

Mostapha El Hafidi

C'est jour de marché à la zaouia. Une clochette à la main, le porteur d'eau vend son eau à la criée, ses appels se confondent avec le brouhaha du souk. Voûté par la poche en peau de chèvre portée en bandoulière, remplie d'eau du puits, il tend, après l'avoir rincée une tasse, accrochée à une chaîne, aux hommes assoiffés par la route. «Bismi'llah ! Je m'en remets à ta générosité et à la miséricorde d'Allah.» La poche donne l'impression d'exploser quand il la presse avec le bras. Avant de se désaltérer, les hommes répètent «Bismi'llah» deux fois de suite. Une fois pour se rincer la bouche, la deuxième fois avant de boire. En rendant la tasse, ils ajoutent : «Qu'Allah te rende la baraka !» Et ils lui donnent une pièce de monnaie, souvent un dirham, un don de Dieu n'a pas de prix.

Deux des frères de la famille Kacimi, Mohamed et Zaïd, les aînés, arrivent en mobylette à la zaouia. Ils viennent, comme tous les hommes du village, s'approvisionner en produits frais. C'est la dernière fois qu'ils feront les courses ensemble avant le retour de Mohamed en France. Mohamed a choisi son destin trois ans avant de se marier avec Khadija. Les devises françaises envoyées chaque mois améliorent le confort de la famille et son image au sein de la communauté. Sa femme le comble de bonheur, Mohamed aurait aimé vivre avec elle au Maroc, mais il s'est fait un devoir, pour le bien de toute la famille, de continuer à porter le statut d'immigré en France. Il est parti la première fois, comme partent tous les émigrés, mais il répète à qui veut l'entendre qu'il préférerait voir grandir ses deux garçons auprès de sa bien-aimée. Souvent, il pense à la solitude de Khadija, dans leur grande maison familiale. Il s'inquiète de la laisser au milieu de ses frères et de leurs épouses. Il a confiance dans l'intégrité de ses frères, bons musulmans, mais les femmes sont comme des serpents entre elles. Il projette souvent de faire venir en France sa femme et ses enfants. Mais il éprouve de l'angoisse à l'idée de laisser ses enfants connaître le destin des jeunes Maghrébins en France. Et Khadija ne parle pas le français, comment pourrait-elle vivre dans ce pays ? Mohamed préfère la savoir dans sa famille, même seule, il ne peut imaginer ce que serait sa vie, en banlieue parisienne, au septième étage d'un immeuble. Au Maroc, les murs sont plus beaux.

Zaïd gare la mobylette orange, achetée avant la mort de leur père, devant la boutique d'articles féminins de leur ami Moulay Ahmed. Zaïd et Mohamed vont d'un commerçant à l'autre, tous sont devenus des amis avec le temps. Ils font le même circuit, dans le souk, depuis des années, comme un rituel, celui qu'avait initié leur père El Haj Kacimi, un riche notable de la région. El Haj était un homme respecté dans les vallées avoisinantes. Il avait élevé ses quatre fils dans le respect de la religion et des traditions.

Zakaria, le fils de Mohamed arrive à dos d'âne, au souk, pour rejoindre son père. Il accompagne le fils du troisième oncle, qui a pour tache de ramener les courses à la maison pour que Khadija prépare le repas. Les enfants ont rendez-vous devant l'étal de Baba Saïd, le vendeur de pastèques et de melons, qui rivalise en senteurs et en couleurs avec l'étal du marchand d'épices.

— Mais où sont-ils, ces deux-là ? s'interroge Zaïd.

— Tu leur as bien dit qu'on devait les retrouver devant les pastèques de Baba Saïd ? dit Mohamed à son frère.

Zaïd les aperçoit au loin, dans les arcades qui délimitent le souk.

— Ah ! Je commençais à m'inquiéter. J'ai eu peur que l'âne ne veuille pas avancer.

Les deux hommes achètent des pastèques et les confient aux enfants. Les garçons racontent la mésaventure qui a causé leur retard : l'âne s'en est pris à une mule dans l'enclos où toutes les bêtes sont parquées et gardées, à l'entrée de la zaouia.

Après les salutations adressées à Baba Saïd, le petit groupe se dirige vers le boucher. Ils n'achètent que du bœuf pour les brochettes. Avant de partir au marché, les hommes ont égorgé une brebis, en direction de la Qibla. Zaïd charge l'âne, que les enfants vont ramener au village et rejoint Mohamed, qui pour tuer le temps, attend son frère chez leur ami Moulay Ahmed. Au fond du magasin, le thé à la menthe et le kif accompagnent leurs longues discussions sans fin. À l'abri des oreilles indiscrètes, ils refont le monde, sous le regard du roi, dont le portrait est accroché au mur. Moulay Ahmed retient Mohamed avec ses histoires drôles.

Sachant qu'il devra accompagner demain son frère à la gare routière, Zaïd quitte la boutique pour acheter un mélange d'essence et d'huile pour la mobylette. Mohamed profite de cette absence pour choisir un caftan bleu pour Khadija. Pour la forme, Moulay Ahmed refuse d'abord son argent avant de céder à son ami.

Les deux frères saluent le marchand et grimpent sur la mobylette pour gagner le ksar.

Le soleil, à son zénith, termine de s'approprier la terrasse, où plane des odeurs de tajine. À cette époque de l'année, en été, les femmes cuisinent sur la terrasse entre quatre murailles sans toiture. Les enfants se sont pressés de ramener les courses, respectant la volonté de Khadija : sans personne pour l'aider, elle avait peur de commencer la cuisine trop tard. Son beau-père, El Haj Kacimi, a instauré les tours de cuisine, dans un souci d'éviter les conflits entre les femmes. Depuis qu'elle a franchi le seuil de cette maison, après son mariage, elle est seule pour préparer la cuisine pour toute la famille, tous les quatre jours. Elle n'a pas de fille pour l'aider, et ses deux jeunes garçons n'ont rien à faire dans le domaine des femmes.

Ce jour-là, la femme de Zaïd lui propose de lui prêter une de ses filles, espérant que Mohamed saurait la récompenser. Mais Khadija refuse et, en elle-même, fait le serment de préparer ce grand repas seulement pour l'homme qu'elle aime. Elle veut lui rendre tout l'amour qu'il lui a donné pendant ce mois inoubliable.

«Et si seulement ces senteurs remplissant l'espace pouvaient emprisonner Mohamed dans un flacon. J'aimerais tant qu'il m'arrache du destin tout tracé des femmes de la communauté. Elles n'ont que les murs ocres comme confidents. Mohamed est tout pour moi ! Mon meilleur ami ! Et mon unique amant !»

On dit que les âmes des femmes ont leur place dans les briques, dans la terre sang, que les hommes écrasent, moulent, sèchent et assemblent à la sueur de leur front, couleur de cuir amolli. Ainsi elles rejoignent leur amant, qui tait son nom, mais qui s'empresse de les couronner de chaux, pour une noce posthume. Dans leur linceul, il les guide jusqu'aux portes d'Allah, où l'éternité enveloppe les âmes de ces femmes.

«Je travaillerais toute une vie pour toi et je remplirais tous les oueds de la région par ma sueur, rien qu'à l'idée de te revoir, Mohamed.»

Ses efforts ne ressemblent en rien à un chemin de croix, cependant, sur sa peau, suintent des gouttelettes, qui s'évaporent par endroits.

Habibi, ya habibi…

Khadija chante un air connu. Ce chant porte l'amour effréné qu'elle ressent pour son homme.

«Je te fais présent des remparts de notre amour, forgés

par les mains généreuses de mon cœur. Je te lègue ma chair pour qu'elle te nourrisse pendant les mois de ramadan, dans ce pays qui nous sépare pour deux ans. Tu vois, Mohamed, je dose chaque épice, comme tu m'as donné tes caresses, qui ont parcouru mon corps languissant, pendant un mois, avec plus de délicatesse que le goût de la fleur d'oranger.»

Elle termine d'assaisonner ses salades d'accompagnement, en se disant que c'est haram de penser ces choses-là. Une ou deux branches suffisent pour finir la cuisson des dernières galettes. Elles ressemblent étrangement à la peau laiteuse et tachetée de Khadija. Devant le fournil de terre, en forme de taupinière, elle découvre que ses seins sont aussi vifs qu'un brasier.

«Cette sauce onctueuse et pleine de gingembre réveillera sans aucun doute tes papilles, comme ma salive lors de nos baisers.»

Sa langue percute son palais, elle salive. Bien que cela soit profane, Khadija poursuit ses pensées, et s'en remet à Allah qui sera seul juge de son acte.

«Mon ventre est gros pour toi. Je veux sentir tes muscles aussi fort que dans tous nos moments d'amour.»

Elle pousse un gémissement en serrant ses jambes.

— Qu'Allah me pardonne, dit-elle à haute voix.

Khadija regarde autour d'elle. Seuls les murs l'ont entendu. Soulagée, elle reprend ses rêveries.

«Dépêche-toi de me revenir. J'aimerais tant fermer mes yeux et les ouvrir dans deux ans pour découvrir ton corps mouillé, bravant la lune, devant notre moucharabieh, comme si je ne t'avais jamais quitté.»

La viande des brochettes, coupée en dés, glisse entre ses doigts. Elle presse les petits bouts de viande, elle sait comme personne les piquer sans perdre l'huile d'olive et le cumin, synonyme de jouvence et de virilité.

Plus rien d'autre à préparer que le thé à la menthe. Boisson rituelle de tout un peuple, le thé devance la prière par sa fréquence.

«Mohamed, quand tes lèvres goûteront cette liqueur, son sucre nappera ton antre jusqu'au plus profond de ta conscience. Et tu t'en rappelleras quand tu porteras ton regard sur une autre femme, là-bas.»

Son imagination la dépasse. Elle susurre à la théière :

— Dis-lui, toi, que je l'aime ! Et que je suis triste à en mourir de le voir partir.

Elle entend des sons de musique andalouse, qui proviennent de la radio, au rez-de-chaussée. C'est signe que les hommes sont installés. Elle est fière. Elle finit le repas dans les temps. Les convives se le partageront sans elle, Khadija s'en moque. Elle sait pertinemment que seul son amour saura la reconnaître dans le goût de la coriandre. Ainsi ils mangeront en tête a tête au nez et à la barbe de tous.

Elle est encore toute poisseuse et pourtant si belle, même si elle a fait don de sa beauté à ce repas. Elle dégage un sentiment de vide comme ces puits perdus sur les routes, mémoires de notre passé. Des puits qui n'ont pour amis que les serpents et les épiniers accoutumés au manque de pluie.

Tous les hommes du village ont enfoui Khadija dans leur tête. Jeune, elle était aussi fraîche que l'eau rare et symbole de vie dans cette région pré-désertique.

Le règne du sable, de la pierre et même la naissance de ses deux enfants n'ont rien pu faire contre cette plastique de rêve. Son grain de beauté sur le nez est la touche finale du chef-d'œuvre de ses formes.

Ses cheveux noirs et étincelants, semblables à des fontaines d'étoiles, font rougir le ciel au couchant avant qu'il n'étende sa nappe lactée pour couvrir les hommes de leurs songes.

Déjà la nuit succède à la rosée matinale. Elle laisse place aux larmes que le soleil de cette journée aura du mal à faire sécher. En ouvrant ses bras à Mohamed, ce pèlerin musulman, la piste ne se doute pas que derrière une lucarne, à l'abri des regards masculins, une femme sert dans ses bras ses enfants. Par cet acte, elle scelle, fossilise cette dernière accolade offerte par son époux.

Les roues de la mobylette orange de son beau frère soulèvent déjà un rideau de poussière. Khadija n'a pas pu apercevoir les yeux mouillés de Mohamed. Le bruit du moteur couvre les voix des villageois, de retour du souk, sur leurs ânes nonchalants.

— À bientôt, Mohamed ! Fais bon voyage ! Qu'Allah te guide ! crient–ils pour vaincre le fracas du moteur.

— Incha' Allah ! Incha' Allah !

Sa gorge nouée ne peut lancer que ces quelques mots.

Ils sont enfin devant le car bleu de la compagnie routière marocaine C.T.M. où les attend leur ami Moulay Ahmed. Bientôt Casablanca où un avion d'Air France l'attend. Mohamed fait ses dernières recommandations à son frère aîné Zaïd.

— Prends bien soin des enfants et de Khadija comme les tiens. N'oublie pas notre mère, sa santé m'inquiète. Qu'Allah vous protège.

Les pleurs résonnent encore dans ce noir éternel de la prunelle des yeux amandes de Khadija. Elle prend seulement conscience qu'elle a perdu sa moitié pour deux ans. Elle ne l'avait pas choisi mais son cœur a su, très vite, l'adopter.

Cela fait dix mois que Mohamed est en Europe. La vie a repris son cours. Les femmes répandent des rumeurs qui égaient leur vie. Khadija domine la vallée fertile des jours de printemps. Elle est assise sur une paillasse à l'ombre des histoires du village. Ainsi suit-elle les conseils de son mari. «Évite ces femmes. Leur venin est pire que celui des scorpions de la région», lui répétait Mohamed. Elle rapièce et plie du linge. Placée de profil, devant une fenêtre, il est difficile de distinguer son visage dans le contre jour.

Fatima, la femme de Zaïd, ou une de ses filles, a oublié de débarrasser un plateau. Un bout de pain imbibé d'huile d'olive et de verres de thé à moitié remplis est un festin pour les mouches. Leurs vols bruyants et incessants perturbent la quiétude de Khadija. Elle met la main à la pâte. Elle débarrasse vite. Pourtant ce n'est pas son jour de corvée. Elle retourne à la fenêtre.

De temps à autre, elle lève la tète et regarde à travers les barreaux que la rouille attaque peu à peu.

Ses pensées se répercutent sur les canyons, semblables à des falaises. Derrière celles-ci, un horizon sans vie contraste avec la verdure luxuriante de la vallée oasis.

Elle aimerait tant savoir écrire pour réduire cette distance qui les sépare. Elle mettrait sur papier la magnificence de ce paysage. Ses enfants ne sont pas en âge de l'aider. L'un est entré au cours élémentaire cette année. L'autre y entrera l'année prochaine. Elle ne profite d'eux que le soir, lorsqu'ils dorment. Elle reste souvent à les regarder, avec les étoiles dans leur sommeil. Leurs mauvais rêves trahissent souvent les journées passées à jouer avec les enfants du village. Ils sont sa fierté.

Ils suscitent beaucoup de jalousie de la part de la grosse Fatima, sa belle-sœur. Cela doit être parce qu'Allah lui a donné trois filles. De plus, les jeunes garçons de Khadija appellent leur oncle papa au lieu de tonton.

C'est ainsi que Khadija occupe ses trois jours de repos. Elles sont quatre femmes pour satisfaire les frères Kacimi. Dans les moments qu'on lui accorde, la jeune femme peut s'occuper de sa personne.

Ainsi répète-t-elle les gestes universels de la femme qui veut préserver son éclat.

Des cris d'enfants attirent son attention. Elle couvre sa tête et s'asseoit sur le rebord de la fenêtre. Elle penche ses yeux dans le vide. Son fils se chamaille avec Myriam, la cadette de Fatima. Il lui tire les cheveux.

— Zakaria, arrête ou je descends avec le bâton !

Khadija veut lui faire peur, sachant au plus profond d'elle qu'elle ne l'aurait jamais touché.

— Oui ! Mais elle lance des pierres !

— Et pourquoi tu lances des cailloux, toi ! dit-elle en s'adressant à Myriam.

— Je ne lui ai rien lancé. Il ne veut pas que je monte sur l'âne.

Vociférant, elle court avec «maman» comme unique mot dans la bouche.

À cause de ces enfantillages, Khadija se doute qu'elle devra affronter la colère de Fatima. Elle redoute l'ambiance des jours à venir. En effet la femme de Zaïd a la main mise sur cette maison depuis que la doyenne perd la raison. Elle est la plus ancienne dans ces lieux, ce qui explique sa position. Les autres femmes sont sous son aile.

Khadija s'efforce d'être discrète. Toutes ses belles étoffes, ses bijoux provenant de France, sont rangés pour le retour de son mari. Ainsi elle n'attise pas leur jalousie. «Elles sont bien assez envieuses comme ça», pense-t-elle. Elle subit les pires insultes, on la traite de putain et de tout un tas d'autres choses. Dans leurs affabulations, toutes l'accusent de voler leurs hommes. Elle a donc fait de son mutisme une règle. Elle prend sur elle, elle pleure sa colère quand ses enfants dorment.

Fatima déboule les escaliers. Elle traîne sa fille qu'elle rue de coups. La fillette pleure, une main sur les yeux. Elle tourne le dos, pour parer les gifles.

— Tu n'es pas capable d'élever tes garçons, ils sont la source de nos ennuis ici ! Tu veux donc que je la tue ?

Fatima a dit cela en montrant sa fille. Elle invoque la miséricorde d'Allah. Khadija ne répond pas.

— Tu vas dire quelque chose, pauvre folle ! reprend-elle, en hurlant et en poussant violemment Khadija.

Une lutte de chiffonnière commence; libérée des mains de sa mère, la petite fuit. Averti par cette dernière, Zaïd entre dans l'enceinte et les sépare.

— Retourne à ta place, ordonne-t-il à Khadija.

Khadija a perdu le voile qui cachait sa chevelure lors de la bagarre. Gênée, elle s'éclipse sans un mot.

— Je passerai te voir plus tard, Khadija ! Je réglerai cette affaire avec toi.

— Eh bien, vas-y ! Ne te gêne surtout pas ! Va la baiser, cette traînée ! dit Fatima.

— N'as-tu pas honte ? Qu'ai- je fait au tout puissant pour qu'il me donne une femme comme toi !

Les mots de Zaïd s'accompagnent de coups. Fatima tombe à terre. Son gros nez saigne. Deux ou trois bleus douloureux se forment sur sa chair abondante. Elle se relève et retourne dans ses quartiers, en marmonnant :

— Que la colère d'Allah s'abatte sur cette fille de chienne !

Elle se traîne doucement vers les escaliers ou attendent les autres femmes de la maison. Elles s'agglutinent comme des abeilles autour de leur reine. Son dos et ses genoux lui font mal. Sa langue continue à salir la femme de Mohamed.

Ce n'est qu'au matin que Zaïd se rend chez Khadija. Tout le monde est occupé. Son épouse prépare le repas dans la cuisine. Les autres femmes sont chez une famille voisine pour manger un couscous. Les hommes aussi sont absents. C'est le tour d'irrigation des champs de maïs de la famille. Ils sont partis au nord du village avec tous les enfants.

Zaïd frappe deux coups sur la porte verte, le vert est estompé par le soleil qui mange les couleurs de toutes choses.

— Oui, qui c'est ? dit-elle

— C'est moi ! dit Zaïd, d'une voix grave que reconnaît Khadija. Elle hésite à lui ouvrir. Il insiste. Elle finit par ouvrir la porte et lui tourne le dos pour aller dans le fond de la chambrette. Un portrait de Mohamed avec ses deux enfants décore les murs.

Zaïd devine ses courbes derrière son caftan bleu. Calmement, il lui explique que son attitude est déplorable. Étant la femme de son frère il ne peut la battre mais il n'hésitera pas à l'avenir si cela se reproduit.

Zaïd a du mal à contenir son imagination. Khadija est

magnifique. Ses hanches sont là, si proches. La respiration et le cœur de Zaïd s'accélèrent. Secrètement, il a toujours envié son frère, il aurait aimé l'avoir comme épouse. Il aperçoit, sous son foulard, quelques mèches de ses cheveux qui ne sont plus caressés depuis le départ du second de la famille. Il continue de la sermonner tout en fermant la porte.

Prise de panique, en entendant le verrou se refermer, elle court vers la porte.

Mais elle atterrit dans ses bras.

Zaïd renifle son cou.

Il lui dit avec une voix haletante :

— Inutile de crier ! Personne ne t'entendra !

Elle se débat, en vain. Ses dents se resserrent. Elle est déjà à terre. Elle baisse les yeux pour ne pas croiser le regard du portrait souriant de son mari. Il la pénètre difficilement. Ses poings serrés retiennent ses larmes. Elle crie des intestins. Sa gorge rougit. Elle tire ses cheveux pour arracher sa tête. Elle maudit à jamais sa beauté. Elle le sent de trop près. Il pue. Cela lui donne envie de vomir. Ses nerfs sont si contractés que même ses assauts ne l'ouvrent pas. Il la force jusqu'à pousser un râle. Son sexe saigne. Elle s'empresse d'enlever cette sève blanc-jaunâtre qui la souille. Avec frénésie, ses mains frappent son sexe. Elle cherche à l'arracher. Ses yeux remplis d'effroi, d'humiliation, mutilent son corps à chaque regard. Lui se rhabille. Il la laisse déjecter sa bile. Sa tête est près de ses genoux. Elle entoure son ventre avec ses bras. Des larmes tombent de ses yeux exorbités. Hagarde, Khadija contemple sa douleur. Les murs se resserrent.

Zaïd retrouve sa femme qui pleure dans les escaliers. Elle a tout compris quand elle s'est rendue à la remise pour chercher de l'huile.

Il ne dit rien. Il sait que son épouse gardera le silence sur ce qu'elle a entendu.

Zaïd se dirige vers la mosquée, où il se douchera à l'eau chaude et priera, avant de retourner manger à la maison.

Deux mois se sont écoulés. Khadija guette ses menstrues.

La fatalité s'est abattue sur elle. Une vie qu'elle ne désire pas germe dans son ventre.

Dans la casbah, elle croise d'autres femmes qui parlent dans l'obscurité des venelles où le soleil n'arrive pas. Ces venelles sont leur territoire. Ce jour-là, elle discutent du malheur d'une certaine Zohra. Celle-ci a avorté pour cacher un adultère.

Khadija, elle, ne pense pas avorter. C'est profane. Allah est omnipotent et omniscient. Il connaît sa misère. Elle est donc persuadée que la vérité émergera un jour, que la vérité ne restera pas enfouie dans les murs.

Cependant, Khadija s'attarde. Elle pose un certain nombre de questions, des questions qui aiguisent la curiosité d'une petite femme camouflée derrière son voile. La tulle est aussi vicieuse que les petits yeux de serpent qu'elle laisse apparaître. Comme l'oxygène dans le sang, la rumeur suit son cours, elle traverse tout le village.

Fatima veut utiliser ce bruit pour reconquérir son mari. Le soir même, dans ce lit qui supporte leur poids comme un fardeau depuis de longues années, un complot se trame.

— Tu sais quoi ? dit-elle

— Non je ne sais pas

— Eh bien ! Tu es père !

— Ah ! Allah est grand ! Allah exauce mes prières ! J'espère que ce sera un garçon. Demain, je me rendrai chez le voyant pour qu'il nous aide.

— Mais ne crie pas comme ça ! On risque de nous entendre

Elle scrute la porte et chuchote :

— Écoute, ce n'est pas moi qui porte l'enfant.

— Comment ça ? dit-il d'un air inquisiteur. D'un coup, il se retrouve sur le ventre mou de sa femme. Il lui serre les deux poignets derrière sa tête.

— Lâche-moi, grosse brute !

Il la lâche.

— Calme toi et écoute moi. Ce qui est sûr, c'est qu'elle n'a plus ses règles. Tu n'as pas remarqué qu'elle prend des hanches et des seins ces derniers temps.

— Tu es sûre de ce que tu dis ?

— Oui, certaine !

— Mais que vais-je faire ! Que va penser mon frère ?

— Ne t'inquiète pas. J'ai la solution, fais-moi l'amour, pour te faire pardonner. Je t'aime.

Ils ne s'endorment qu'au petit matin, épuisés. Leur complicité est totale. Ils n'ont interrompu leurs ébats que pour discuter du plan de Fatima. «Jamais, pense-t-elle, je n'ai senti son sexe comme cette nuit là.»

Quelques jours plus tard Zaïd, se rend au souk pour poster une lettre.

Le courrier, remis en mains propres à son ami l'agent des postes, trouve une place en partance pour la France.

Au nom d'Allah, le tout miséricordieux, le très miséricordieux.

Mon cher frère,

J'espère que tu te portes bien et que notre Seigneur t'accorde ses faveurs. En ce mois où les dattes demandent à être cueillies, tout le monde resplendit de santé. L'état mental de notre mère ne va pas mieux, toujours pas d'évolution, même si l'Éternel semble vouloir lui accorder encore des jours heureux parmi nous.

Les enfants grandissent. Zakaria, ton fils s'est bien adapté à l'école, tu serais fier.

Cependant je ne sais comment t'annoncer cette honte qu'Allah a envoyé à notre famille. Ta femme, Khadija, a perdu la raison. Je m'explique. Elle a courtisé un des ouvriers qui nous aident à la récolte des dattes, abondantes par la volonté d'Allah. Envoûté, le malheureux s'est retrouvé dans votre lit de noces. Je t'épargne les autres détails. Je les ai surpris de mes propres yeux. Dans la minute, j'ai renvoyé l'ouvrier. J'ai expliqué son départ en prétextant un vol. Ainsi je suis seul à être au courant de ce déshonneur dont t'accable ton épouse. La famille en est salie.

Sur ces bien tristes mots, je te laisse avec notre Dieu tout puissant qui me dictera ta volonté dans ton courrier que j'attends avec impatience. Toute la famille pense à toi et t'embrasse très fort. Que la paix soit sur toi. Ton frère Zaïd.

Zaïd prend sa mobylette pour aller dans un village retiré des alentours. Plus grand monde ne vit dans ce bourg. Les gens fuient cette aridité, pour avoir l'eau potable et l'électricité des gros hameaux de la route goudronnée.

Zaïd entre dans une petite maison où un vieillard, aveugle, l'accueille. Il en ressort, avec une potion dans sa poche.

Une petite semaine de plus s'inscrit dans le calendrier. La bourgade s'endort sous la chaleur. Khadija est grosse. Elle accepte de moins en moins son corps. Elle s'enferme dans sa chambre. Ses enfants la rejoignent uniquement pour passer la nuit. À tour de rôle, les femmes ou leurs enfants lui apportent sa nourriture dans sa mansarde. Elle est bien seule. Elle pense souvent à son mari. Il doit bientôt rentrer.

L'ami de la poste apporte le pli tant attendu par Zaïd. Ce dernier le range précieusement dans sa poche. L'homme, pressé, ne peut rester pour le repas de Fatima, qui est de corvée ce jour-là.

Le soir, une des filles de Fatima apporte la ration pour la lépreuse de ce toit. La lune embrasse déjà le ciel. Khadija s'inquiète. Ses enfants ne sont pas rentrés. Elle se déplace péniblement jusqu'à la terrasse. Tout le monde dort profondément. Seule une femme l'a vu monter. Khadija remarque que ses bambins, envoûtés par la sombre nuit, risquent de tomber dans le vide. Ils sont juste à côté du précipice. Elle déplace le plus vieux. Elle le pose délicatement près de son frère. Son dos la fait souffrir, à cause du poids de son ventre. Elle s'allonge, entre ses petits et le gouffre, pour attendre le jour. Elle craint de perturber leur sommeil en les réveillant.

Bientôt Khadija s'enfonce dans ses songes. Un cauchemar lui saisit le ventre.

Elle le voit encore sur elle.

Son fœtus bien avancé tourne dans son ventre. Sa tête fait des allers et retours en gémissant. Elle bouge dans tous les sens. Le vide lui tend les bras. Le rebord de la terrasse ne peut la retenir. Dans sa rotation ses yeux s'ouvrent un instant. Le temps de voir sa chute. Les profondeurs l'ont définitivement enveloppée. La maison se réveille par des cris qui devancent le chant du coq.

Elle gît sur le sol.

Dans l'ombre des murs, le sang encore vert de l'élixir de la mort : un tapis aux couleurs du Maroc, qui glace les traîtres.

Zaïd et Fatima se regardent. Leurs pensées se rejoignent : la potion du vieillard aveugle a eu raison de cette fille de chienne, qu'elle aille au diable !

On parle d'accident. Personne n'en doute. La lettre qui devait être présentée à Khadija la veille au soir est restée dans la veste de Zaïd. Ainsi il a une preuve pour la thèse du suicide : Mohamed demande, dans ce courrier, de renvoyer sa femme chez ses parents; il la répudie.

Le sort a facilité la conspiration de Zaïd.

Pour préserver l'honneur de la famille, on expliquera que Khadija a emporté avec elle l'enfant endormi de Mohamed.

Un silence profond s'abat sur le village.

On pleure sa mort.

Au retour de Mohamed, l'âme de Khadija repose dans les murs ocres qui l'ont appelée avant son heure.

L'ENTERREMENT

Zeina Tabi

À mes parents.

Je dédie ces quelques lignes à mon grand-père. Mais aussi à tous les grands-pères du monde, ceux qui sont seuls et ceux qui sont entourés, ceux qui vont s'éteindre et ceux qui avant de partir ont vu s'éteindre les leurs, une partie d'eux-mêmes.

Je les dédis aussi tout particulièrement à un homme qui vient de mourir, qui m'a fait penser bien des fois à mon grand-père et pour lequel j'ai développé à mon insu une grande affection : F. M.

Et *il* poussa un cri. Un cri plein d'effroi. D'effroi et de certitude. La certitude d'une réalité : l'approche de la mort. La Mort s'est annoncée d'elle-même aux portes de son âme. Elle, en sa présence glaciale, vêtue de son propre linceul blanc, immaculé, froid. Elle semblait narguer le soleil qui dehors tapait dur, tapait fort le sol de ce Maroc qu'il n'a jamais quitté. Car le Maroc, «c'est bien mieux que tout le reste du monde !» À cette conviction qui fut sienne, il existe une exception, un lieu où il aurait tant voulu aller. Un lieu de repos, de plénitude de l'âme, un lieu d'histoire sans attache, naviguant sans frontière au-delà des siècles. Ce lieu, c'est celui que tout musulman aspire à visiter au moins une fois dans sa vie : la Mecque, MAKKA AL MOKARAMA, loué soit le Seigneur des Mondes.

À travers *sa* souffrance, *il* repense à la froideur de la Mort alors que dehors le soleil est bien présent en sa qualité d'astre de feu, jaune, éclatant, brûlant. Cela *lui* donne une envie. Celle d'être aussi fort que le soleil. Car après tout, n'est-il pas vrai que le soleil fait fondre la glace, ainsi *il* pourrait lui aussi faire fondre la Mort ! Mais le combat est inégal. Et *il* le sait. Alors *il* se met à avoir des désirs si accessibles dans la vie de tous les jours qu'ils en deviennent inhumains lorsque l'on se rend compte que la fin est proche. *Son* désir était pourtant bien simple. *Il* aurait voulu apprécier, comme à l'accoutumée, cette force du soleil qu'il devine aujourd'hui impuissant, à l'ombre d'un arganier. Cet arganier qui connaît toutes *ses* confidences. Il se situe sur une colline à mi-chemin entre le puits où vont puiser les femmes et la mosquée de pierres taillées à la main où *il* faisait cinq fois par jour ses prières, ce rituel du rappel éternel et cette ode de la vie et de la louange. Cet arganier se souvient de *ses* soupirs, de *ses* tristesses et de *ses* joies. Cet arganier, cet ami de tous les instants, cette oreille attentive dont *il* aimait l'écoute silencieuse. Cet arganier, arbre nourricier, détenteur et géniteur de cette huile de Vie aux vertus multiples : l'argane. Il la lui donnait en retour de ses confidences, comme pour le remercier de cette confiance qu'*il* lui portait.

Cet arganier ne sait pas ce qu'est la Mort. *Il* va la connaître au travers de la *sienne*. Car jamais plus, jamais plus *il* ne pourra se lover dans son creux comme il aimait à le faire. *Il* en est certain.

Son esprit vagabonde à travers les images du passé qui resurgissent du fin fond de sa mémoire. C'est drôle comme on la retrouve la mémoire, tout d'un coup, avec la célérité de la lumière. Comme si le peu de temps qui reste à vivre justifiait l'usage de la rapidité des prises de vue ou des clichés. *Il* s'improvise alors photographe de talent. Quelle clarté, quelle précision et quelle perfection des prises pour un homme qui n'a jamais manipulé d'autres appareils que sa pioche et sa faux. Se constitue alors dans sa tête un album d'images intemporelles, immobiles, qui se juxtaposent et se superposent en suivant un rythme rapide. *Il* prend plaisir à le feuilleter. Que d'amertume et que de joie ! *Il* en oublie la douleur mais pas la Mort.

Il se dit en lui-même : Que n'ai-je pas plus de vie !

Et *il* se met à soupirer.

Un cri plein de certitude. Celle de la rencontre avec Celui à qui *il* devait la vie. Celui-là même à qui *il* devrait la Mort. Celui que *sa* vie durant *il* pria, louangea, gratifia, remercia, glorifia, loua. Celui-là même qui désormais *le* rappelait à lui. Celui-là qui nous l'arracherait dans quelques minutes. Celui-là même qui en *t*'enlevant à moi, briserait le seul lien tangible qui me faisait me sentir vivante au Maroc, vivante à Tamazirt, la campagne chérie de mes ancêtres, vivante et admise dans ce village, acceptée dans ma différence, moi, la fille pas comme les autres. Moi, la fille qui vient d'ailleurs, d'un coin du monde qu'on appelle ELKHARIJ, l'Étranger. Moi la fille qui sait parler une autre langue, qui sait lire et surtout écrire. Moi, la fille qui aurait dû être garçon.

Nous sommes au Maroc. Peu importe le siècle, peu importe l'année, peu importe la saison. La scène est intemporelle car le village où elle se passe est resté le même hier comme aujourd'hui, et peut-être demain. Fidèle à son authenticité, à sa raison d'être, à ses traditions, à sa religion, à sa pauvreté et à sa joie de vivre. Ce village est le mien. C'est l'héritage de ceux qui n'ont pas oublié d'où ils venaient. C'est aussi malgré tout l'héritage de ceux qui ont cherché à oublier ce qu'ils étaient et qui ont perdu par là même leur essence. Ce village, c'est la seule preuve de mon existence et de son insignifiance. Il se situe au fin fond d'une région montagneuse des environs d'Agadir. C'est le refuge des Berbères à la tête dure, de ces Berbères fiers de leur originalité, de leurs coutumes, de leur histoire, et ils ont vraiment de quoi être fiers. Ce sont des cavaliers remarquables et des chasseurs de qualité. Ce sont aussi des poètes au verbe franc. Certes oui, le verbe est important dans la culture berbère. Car à défaut d'être des hommes d'écriture, les Berbères sont des hommes de parole. La parole donnée n'est jamais reprise et elle doit être honorée par tous les moyens. Oui, la parole ne doit jamais être bafouée ni salie. Chaque mot a sa valeur et chaque valeur a un mot qui lui correspond. Tout est une question de justesse et de mot approprié.

Nous venions d'arriver au village la veille. Après quatre heures de route alors qu'à vol d'oiseau, une heure trente aurait largement suffit. La différence s'explique par les routes caillouteuses et les sinueux passages qu'il nous faut déjouer puisque le goudron n'est pas encore arrivé à s'imposer dans ce bled. De ce fait, la route est éprouvante, nous avons l'impression d'être sans arrêt bousculés et ballottés vers la droite, vers la gauche, vers le haut, vers le bas, au gré des pierres qu'écrase la carcasse courageuse que toute la famille chevauche. Mais à l'image de ses habitants, les pierres ont la tête dure ! Alors, nous acceptons les soubresauts de la voiture.

Je supporte ce trajet parce que je l'aime, puisqu'il me mène à *lui*, puisqu'il me mène à *toi.* Il a le charme d'une méharée moderne voire futuriste, et la saveur d'un air pur, dénué de pollution. Les montagnes et les collines sont toutes différentes les unes des autres. Je me surprends à contempler leurs formes, et à admirer le travail précis et ordonné de l'Artiste du ciel. Ainsi, le panorama qui s'offre gracieusement à nos yeux est en parfaite harmonie avec la voûte céleste aux couleurs du jour : l'or du soleil, et le turquoise d'un ciel que j'ai rarement eu la chance de contempler ailleurs. Le paysage de ce bled m'a conquise depuis longtemps. Ce bled que je chéris de tout mon cœur. Les raisons de mon affection pour lui sont multiples : les gens sont pauvres mais cela ne les empêche pas d'être heureux, alors qu'en ELKHARIJ j'ai plutôt eu l'occasion de voir le contraire. La tristesse semble le lot quotidien du citadin, elle se lit sur les visages, mais elle est souvent fausse. Ces villageois ont une manière de vivre qui leur est propre et qui me plaît. Ils s'en remettent à Lui pour tout ce qui concerne leur subsistance.

Ils vivent dans des bâtisses qui ont un charme fou à mes yeux, construites en torchis il y a longtemps, très longtemps. Avec peu de moyens mais beaucoup d'astuces. Les maisons de ce village suivent une construction aérée, ouverte sur le ciel. Il y a un grand mrah qui est une cour intérieure. En son milieu, on a planté un oranger qui se doit de remplir deux fonctions : celle d'apporteur de fraîcheur par son ombrage, et celle de pourvoyeur de fruits. Celui de sa maison est capricieux. Il ne donne ses fruits que quand il le désire, selon son bon vouloir. Aussi loin que remontent mes souvenirs, cet oranger a toujours été là. Il a au moins mon âge, soit près d'un quart de siècle.

Dans ce village, la vie est commune. Les gens savent encore ce que veut dire le mot voisin. Ils s'entraident chaque fois qu'ils le peuvent à la mesure de leurs moyens. Les femmes se prêtent entre elles des ustensiles de cuisine, se donnent des conseils, vont chercher l'eau de celles qui sont malades, se réconfortent les unes les autres lorsque des malheurs s'abattent sur elles et sur leurs familles; quant aux hommes, ils s'entraident aux champs ou au souk. Les gens parlent. C'est une thérapie. Ils soulagent les âmes en peine, et la plupart du temps, ils arrivent à rire de leurs malheurs. Là-bas, on rit des autres comme on se moque de soi. De toute façon, ce qui arrive est Maktoub, c'est tout simplement écrit dans l'immense papyrus du ciel.

Mais moi, ce jour-là, je n'ai ni voulu rire, ni voulu me moquer. Car ce jour-là, j'ai pleuré.

Tout se déroule de nouveau comme un parchemin devant mes yeux. À l'image d'une pelote dont on déroule le fil qui n'a qu'un bout. Le ciel de mon regard s'est assombri d'un coup. Et une pluie de larmes s'est mise à tomber sur la peau aride de mon visage asséché.

Je *l*'entends. *Il* dit qu'il est heureux ! Al hamdoulillah ! Al hamdoulillah ! Loué soit le Seigneur ! Car ce jour est un grand jour ! C'est le jour de *sa* rencontre avec Lui et ce jour coïncide avec celui de la venue de *ses* enfants, de *ses* petits-enfants, de *ses* arrière-petits-enfants. Car ils sont tous là. Ceux venus de France (dont je fais partie) pour faire leur Salam annuel à l'ensemble de la communauté, ceux de Casablanca, ceux de Inezgane et ceux d'un village voisin.

L'ironie du sort fait que nous sommes tous venus pour voir quelqu'un, et c'est ce quelqu'un qui va partir... pour ne plus revenir. Le sort se joue de nous, et nous croyons maîtriser les choses mais nous ne sommes que des marionnettes de nos propres vies, de nos propres convictions. *Bajdi* doit s'en rendre compte maintenant que l'heure du départ est proche. Je n'aime pas dire au revoir. Car chaque au revoir est une trahison. Peut-on seulement se préparer à ce genre de séparation ?

J'ai la gorge serrée. J'ai comme l'impression qu'un serpent s'est enroulé autour de mon cou. Me laisse t-il encore de quoi respirer que c'est une aubaine ! Il me vient à l'esprit que c'est à un serpent que nous devons d'être sur Terre. Ô Ève ! Mère de tous les Hommes, de mes ancêtres et de ma descendance, si seulement tu ne t'étais pas laissée séduire par ce serpent à la parole enjôleuse, peut-être ne serions-nous pas en train de pleurer celui qui va te rejoindre ! ! !

Alors subitement, comme pris de panique, *il* demande à être dirigé vers la Mecque, le Lieu Saint, comme pour accomplir ses dernières dévotions. Il demande avec insistance, empressement, car oui, le temps presse. *Il* est le seul à savoir. J'entends *ses* paroles, ou plutôt *ses* gémissements. Elles résonnent dans ma tête comme un écho aux douleurs que j'ai ressenties. Il se met à réciter la Chahada. Cette phrase si importante pour le musulman car elle assure à celui qui meurt en la récitant le passage direct au Paradis. «ACHADOU AN LA ILLAHA ILLA ALLAH OUA MOHAMAD RASSOUL ALLAH». «J'atteste qu'il n'y a point de dieu en dehors d'Allah et que Mohamed est son prophète.» Et toute l'assistance reprend dans une voix unie cette phrase. *Sa* voix est amplifiée par les murmures des adultes de l'assistance comme si, en la prononçant chacun, cela multipliait *ses* chances de rentrer au Paradis. Ils la répètent aussi parce qu'ils se rendent compte de la petitesse de l'homme dans ce genre de situation. Qui a déjà assisté au spectacle ô combien émouvant de la mort se saisissant de la vie comprend ce que je dis ! La peur s'empare non seulement du mourant mais aussi des vivants. Le mourant parce qu'il sait que sa fin est proche. Les vivants, parce qu'ils savent que la vie est poursuivie par la mort, et que, de cette poursuite infinie la Mort triomphe toujours.

Soudainement, mes larmes se mettent à redoubler d'intensité sans que je puisse en tarir la source lorsque je vois mes oncles, *tes* propres fils, se mettre à pleurer comme des femmes. Et moi qui du haut de mon petit âge n'avais jamais vu un homme pleurer ! Quel choc ce fût ! Ils n'avaient rien à prouver, rien à cacher. Ils m'avaient tous simplement aidé à prendre conscience que *tu* t'en étais allé. Pour de bon. Alors là moi aussi, j'ai laissé mes larmes couler de plus belle parce que je n'étais plus dans l'expectative d'un miracle égoïste de *te* savoir toujours en vie même souffrant, mais aussi parce que l'heure était grave, très grave, puisque les hommes se laissaient aller à exhiber ainsi leur tristesse et leur désarroi.

Voyant mes larmes abonder, et couler silencieusement sur mes joues, laissant tomber de grosses gouttes sur le sol, une femme âgée me dit : «Ne pleure pas, ne pleure plus. Il est dit que celles qui pleurent font plus de mal que de bien à celui qui nous quitte car chaque goutte qui tombe sans être estompée d'un revers de main est en fait une flamme qui brûle le mort.»
Alors, pour ne plus *te* faire de mal, j'ai continué à pleurer mais en essuyant mes yeux. Ils devinrent rouges. Mais le rouge n'est-il pas la couleur de la douleur ?

Rassemblant leur courage, les hommes de l'assistance se sont mis à psalmodier des versets dédiés à la mort, pour bénir *ton* corps inerte et *ton* âme en quête de paix. «Ina lillah oua illaihi al rajir.» Nous sommes à Dieu et vers lui le retour. Un homme est sorti de la pièce où *tu t*'es éteint et a demandé une aiguille et du fil blanc. On a couvert *ton* corps chétif d'un drap blanc et on *t*'a posé dans un brancard de fortune. Des hommes *t*'ont amené à la mosquée pour procéder au lavage purificateur de *ton* corps. Ils ont ensuite pris le linceul et se sont mis à coudre délicatement le drap. Ils ont entamé une procession vers le cimetière. Je suis montée sur le toit de *ta* maison pour suivre cette procession où les femmes ne sont pas admises. Et je *t*'ai suivi du regard. Un regard peut être aussi puissant qu'une main qui ne veut pas lâcher celle de celui qui part. *Tu* allais rejoindre ceux qui *t*'avaient quitté comme *tu* nous quittes aujourd'hui. L'imam commença à psalmodier l'appel à la prière. Et la prière débuta. Je *t*'imaginais debout comme *tu* l'as été jusqu'au dernier souffle de vie qui demeurait en *toi*. Je *t*'imaginais transparent, levant les bras au ciel, *te* courbant, *te* prosternant. Je *t*'imaginais couvert d'une lumière intense et aveuglante, et je voyais dans *ton* regard opaque, la lueur du bonheur; sur la peau de *ton* visage s'effaçaient au fur et à mesure toutes les misères que tu avais connues, toutes les souffrances que tu avais endurées, toutes ces années de labeur sans une once de matérialisme. Toute *ta* vie, *tu* l'as passée à être un bon père et un bon époux, un bon grand-père aussi. Le mirage s'acheva à l'instar de la prière. *Tu* disparaissais. Une seconde fois. Deux hommes se mirent à creuser la terre. Ils procédèrent à l'édification de la nouvelle demeure de *ton* corps. La tombe est de petite taille. Juste la tienne. D'une profondeur d'un mètre environ. Une fois le trou assez profond, chacun d'eux a saisi une extrémité de ton linceul. Et dans un sentiment d'immense abandon, ils *t'*ont remis à la terre. *Ton* crédit de vie était épuisé. J'ai proposé au Sort d'en extraire du mien pour *te* le donner, mais il n'a rien voulu entendre. Dans *ton* drap blanc, immaculé, *tu* ressemblais ainsi enveloppé à un nouveau-né que l'on dépose dans les bras de sa mère. Les hommes qui *te* portaient faisaient de même en te rendant à la terre. «Vous êtes fait de poussière, et poussière, vous retournerez à la terre.»

Et ils recouvrirent *ton* corps d'un peu de terre. Pas trop. Ils posèrent de longues pierres ayant à peu près la largeur de ta tombe et déposèrent par dessus des arbustes aux piquants douloureux, ces piquants qui serviraient à *te* préserver des sangliers charognards et des sorcières en quête d'une langue ou d'un doigt de nouveau mort. *Ta* tombe a eu cette forme pendant quatre mois. C'est le temps réglementaire chez nous.

La mise en terre d'un corps sans vie, voilà qui peut paraître bien étrange au fond ! Comme si en recouvrant un corps de terre, on sublimait sa réalité, son existence. Comme si sa présence, aussi passagère fût-elle, se rendait elle même maîtresse de son absence. Car même mort, les Morts vivent encore. Sous d'autres formes certes, mais leur présence est indéniable. Alors pourquoi mourir puisque la mort ne réussit pas à effacer l'existence ?

À une extrémité de *ta* tombe, on a posé une pierre pour signifier l'emplacement de *ta* tête, et à l'autre extrémité une autre pierre pour *tes* pieds.

Car chez nous, pas de pierre tombale, pas de cercueil, pas d'épitaphe, pas de nom, de date de naissance, de date de mort, pas de «à toi que nous aimons et à qui nous pensons très fort». Car chez nous, la visite exclusive d'une tombe ne se fait pas. C'est un manque de respect aux autres défunts. La prière aux morts non plus ne doit pas être exclusive. Aussi doit-on prier en ayant une pensée pour chacune des âmes dont le corps est enseveli dans le cimetière visité. Cette tradition, je l'applique en souvenir de toi, en souvenir de mes aïeux.

Ainsi *t'*ont-ils mis en terre ! Promptement, comme à l'accoutumée. En effet, le temps presse, et il ne faut pas qu'ils *t'*entendent crier du fond de *ta* tombe. C'est pour cela que tout d'un coup, ils *t'*ont quitté, et ils se sont mis à marcher vite, très vite, parce qu'ils ont senti Azraël venir. Azraël, l'Ange de la Mort. Il ne *te* dérobera pas la vie, comme l'a fait la Mort. Mais il vient *te* questionner. Simplement *te* poser une question. L'ultime question. La question dont la réponse assure le bonheur parfait ou la tristesse éternelle : «En qui crois-tu ?»

Elle est simple cette question et pourtant de sa réponse dépend *ton* avenir. Quel paradoxe ! Parler d'avenir alors que *tu* es mort ! *Tu* n'as désormais plus de temps humain à *ta* disposition. Le sablier de Dieu a une toute autre forme. Les grains de sable tombent et remontent à l'unisson suivant un rythme inqualifiable : l'instant d'avant est près d'être, l'instant d'après est déjà passé.

Tu es serein et *tu* le regardes droit dans les yeux. Il n'a pas l'air méchant. Il doit juste remplir son devoir. *Te* poser la question. *Tu* retrouves *ta* vue et *tu* finis par *te* demander si *tu* as jamais été aveugle. À la réflexion, n'est aveugle que le voyant qui croit voir alors qu'il ne voit rien. Dans ces cas-là, la cécité est en fait lumière. *Ta* réponse le satisfait. *Tu* souris. Et ta route s'illumine sous tes pieds.

Ma vision se brouille par mes larmes qui coulent comme

une cascade de perles. Mais je pleure de joie cette fois-ci. De joie de *te* savoir bien où tu es.

«Bajdi, Bajdi ! j'ai oublié de te dire quelque chose ! Réveille-toi s'il te plait ! Réveille-toi ! Bon, ben, puisque tu ne veux pas ouvrir les yeux, ouvre grand tes oreilles : je t'aime.»

BAJDI

Ce mot sonne comme un appel au respect, et à la douceur. Le respect de l'expérience et la douceur de la sagesse. C'est un poème à lui tout seul, et c'est un privilège de jeune que de prononcer un tel mot.

Bajdi. Sais-tu seulement combien je t'ai aimé et t'aime encore ? Non. Je ne te l'ai jamais dit. Une fois seulement je me suis aventurée dans le récit des sentiments que j'éprouvais pour toi. Tu es resté impassible. Comme se le doit un homme, te disais-tu peut-être. Mais j'ai senti ton cœur bondir de joie. Comme j'aimais entendre les bénédictions que tu me faisais. Elles raisonnent encore dans ma tête. Et elles m'accompagneront jusqu'à ma mort. Elles me servent de reliques. Car à défaut de souvenirs concrets, ces paroles même volantes me servent d'appui les jours où mon âme est maussade.

Bajdi, pourquoi faut-il pleurer ta mort ?

Me revient à l'esprit une pensée d'un célèbre poète arabe, Al Moutanabi du XIe siècle. Il disait : «Nous pleurons nos morts, mais en quittant ce monde, qu'ont-ils quitté de si précieux ?»

Bajdi, je ne considère plus ta mort comme une sublimation, une disparition. Non, à la réflexion, la mort ne devrait pas avoir l'image qu'elle véhicule. Non, la mort est une prolongation de la vie. J'en suis convaincue, car sinon à quoi bon vivre. La mort est une étape d'une immense entité où vie et mort s'embrassent à tour de rôle. La mort constitue une partie de la mutation que chaque jour nous vivons. Elle s'opère en fin de parcours. Et la mort est aussi à vivre...

Bajdi, je ne t'ai pas connu comme j'aurais voulu te connaître. Mais une chose est sûre, c'est que je t'aime.

Bajdi, je te retrouve dans les yeux de tous ces vieillards abandonnés que je rencontre chaque jour au hasard d'une rue ou d'une station de métro.

Aujourd'hui quand je me promène dans les rues de Paris, une image me frappe : les vieux marchent seuls, non accompagnés, ils semblent tristes et leurs regards sont éteints. À quoi sert-il de mettre au monde une progéniture que l'on espère présente à l'avenir, mais qui en fait se fait absente au quotidien.

Ta mort a été la première à me toucher réellement.

Pauvre France qui ne sait plus que faire de ses vieux.

Pauvres immigrés qui ne savent plus ce qu'est une famille.

Pauvre Franco-Marocains qui n'ont pas fini de se battre pour découvrir qui ils sont. À supposer qu'ils se découvrent enfin, seront-ils à la hauteur de leur héritage ?

NOTICES BIOGRAPHIQUES

Nadia Chafik, née en 1962. Enseignante universitaire, elle a publié deux romans, *Filles du vent* et *Le Secret des djinns*, chez Eddif.

Mohamed Choukri, né en 1935, près de Nador, dans le Rif. Il a écrit tous ses textes, romans, nouvelles et essais, en langue arabe. En 1956, à l'âge de 21 ans, il entre à l'école, apprend à lire et à écrire et devient instituteur. En 1966, il publie ses premières nouvelles. En 1981, paraît à Paris *Le Pain nu*, traduit en français par Tahar Ben Jelloun, première partie de son autobiographie. Il vit à Tanger. Son traducteur en français est Mohamed El Ghoulabzouri.

Mohamed El Atrouss, né dans la région de Berkane. Il a publié au Maroc deux recueils de nouvelles écrites en arabe. «Personnes» est son premier texte traduit en français. Il vit à Paris.

Mostapha El Hafidi, né en 1971 à Aoufous, dans la région d'Errachidia. Il a vécu au Maroc jusqu'à l'âge de 10 ans. Entraîneur de basket, il vit à Paris. «Dans l'ombre des murs» est son premier texte publié.

Salim Jay. Si son père était un poète de langue arabe, il est, lui, un auteur de langue française. Né à Paris en 1951, de père marocain et de mère française, a vécu à Rabat entre 1957 et 1973. Il a publié 18 livres, parmi lesquels *Le Fou de lecture et les quarante romans* (Confrontation, 1981), *Romans maghrébins, romans du monde noir* (L'Afrique littéraire, 1983, 1984), un roman, *Portrait du géniteur en poète officiel* (Denoël, 1985), *Idriss, Michel Tournier et les autres* (La Différence,1986), *101 Maliens nous manquent* (Arcantères,

1987), *L'oiseau vit de sa plume* (Belfond, 1989) et *Jean Freustié, romancier de la sincérité* (Le Rocher, 1998).

Maati Kabbal, né en 1954, à Khouribga. Collaborateur du quotidien français *Libération*, il a publié une dizaine de nouvelles dans le journal arabophone *Al Hayat*. Il a également traduit en français *Ephèbes et Courtisanes* de Jahiz (Payot), et *Le Livre des Stations* de Nifari (éditions de l'Éclat).

Abdelfattah Kilito, né en 1945 à Rabat. Il enseigne la littérature française à la Faculté des Lettres de Rabat. Il écrit ses romans et ses essais aussi bien en arabe qu'en français. Parmi ses livres : *Littérature et Étrangeté, L'Absent*, *Récit et Interprétation*, *L'Auteur et ses doubles*, *L'Œil et l'Aiguille*, *La Querelle des images*, *La Langue d'Adam*.

Fouad Laroui, né en 1958. Auteur de langue française, il a publié trois romans chez Julliard, *Les Dents du topographe*, *De quel amour blessé* et *Méfiez-vous des parachutistes*. Ingénieur de formation, il vit à Amsterdam. Il collabore aussi à l'hebdomadaire *Jeune Afrique*.

Karim Nasseri, né en 1967. Auteur de langue française, il vit à Paris. Il a publié un premier roman aux éditions Denoël, *Chroniques d'un enfant du Hammam*, en 1997. Il prépare un second roman et un recueil de nouvelles.

Rachid O, né à Rabat en 1970. Auteur de langue française, il a publié, chez Gallimard, *L'Enfant ébloui*, *Plusieurs vies* et *Chocolat chaud*. Il vit entre Paris et Marrakech.

Leïla Safraoui, née en 1966. Journaliste à Paris. Auteur de langue française, elle prépare un recueil de contes pour enfants sur le Maroc. «Le Mandat» est son premier texte publié.

Abdelhak Serhane, né en 1950. Auteur en français de romans, *Messaouda* (Seuil, 1983), *Les Enfants des rues étroites* (Seuil, 1986), *Les Prolétaires de la haine* (Publisud, 1995), *Le Deuil des chiens* (Seuil, 1998). Il a également écrit un essai sur la sexualité des jeunes

Marocains, *L'Amour circoncis* (Eddif, 1996) et un recueil d'articles, *Le Massacre de la tribu* (Eddif, 1997). Enseignant à Kénitra, il affirme écrire parce que cette vie ne le contente pas.

Mohamed Tabi, né en 1973, dans le 18e arrondissement de Paris. Il écrit en français. Journaliste de télévision, il lit beaucoup de littérature fantastique. Sa famille est originaire d'un village de montagne près d'Anzi, dans le sud marocain. Son père est arrivé en France au milieu des années 60. «La Torpeur» est son premier texte publié.

Zeina Tabi, née en 1974 à Paris, elle écrit en français. Grande lectrice (Chraïbi, Ben Jelloun, Djebar, Balzac, Théodore Monod). Dans les livres, elle recherche l'intégrité du sentiment. «L'Enterrement» est son premier texte publié.

Abdellah Taïa, né en 1973 à Rabat. Il écrit en français. Étudiant en lettres à Genève, il prépare un recueil de nouvelles. «L'enfant endormi» est son premier texte publié.

Soumya Zahy, née en 1967 à Casablanca. Elle écrit en français. Journaliste, elle vit à Paris. «Jour de colère» est son premier texte publié.

Loïc Barrière, né en 1967 à Rouen. Journaliste à Paris, il est l'auteur d'un premier roman, *Le Voyage Clandestin* (Le Seuil, 1998).

TABLE

Imprimerie France Quercy - Cahors
N° d'impression : 92356 - Dépôt légal : octobre 1999